THE BAY ISLANDS
LAS ISLAS DE LA BAHÍA

THE BAY ISLANDS

LAS ISLAS DE LA BAHÍA

2

Credits
Créditos

Publisher
Dirección de Diseño y Edición

Jacqueline Laffite Bloch

Editor & Author
Editora y Autora

Alexandra Lytton Regalado

Photographers
Fotógrafos

Federico Trujillo D.
Andrea Vallerani
César Rodas

Underwater Photography
Fotografía Subacuática

Anthony's Key Resort:
Félix Antonio Matias
Roger A. Cabrera
Carlos Gordon
Mike Sahlen
Juan Carlos Murillo

Translation English-Spanish
Traducción Inglés-Español

Violeta Ávila de Lytton

English Style Editor
Editora de Gramática – Inglés

Emma Trelles

Spanish Style Editor
Editora de Gramática – Español

Ana María Nafría

Assistant Photographer
Asistente Fotógrafo

Nelson Crisóstomo

Graphic Design
Diseño Gráfico

Kevin Kelsick &
Mauricio Giammattei
of Cre8tiv Juice Group

Contributors
Colaboradores

Federico Bloch
David K. Evans, Ph. D.
Dale Jackson
Ivonne Laffite de Matamoros

Consulting
Asesoría

Aida de Escalante
Colby Johnson
José Roberto Suárez
Gladys Soler

Camp Bay, Roatan, AV

Acknowledgements
Agradecimiento

Our many thanks to GRUPO UNO, its affiliates AVALCARD and BANCO UNO, and company president, Rene Morales, for the generous sponsorship that granted the production of this book. We admire their entrepreneurial vision in backing a project that not only showcases the cultural heritage of our country but will also provide the funds needed to run the Doc Polo Galindo Clinic. This clinic will offer first-class medical assistance to an underprivileged population of 18,000 residing in East Roatan.

Expresamos nuestro profundo agradecimiento a GRUPO UNO y sus afiliadas AVALCARD y BANCO UNO por su generoso patrocinio en la elaboración de este libro. Reconocemos y admiramos su visión empresarial al fomentar este proyecto que no solo exalta la cultura de nuestro país sino que también proveerá los fondos requeridos para cubrir los gastos operativos de la Clínica Doc Polo Galindo. Esta clínica, ubicada en el sector oriental de Roatán, brindará servicios médicos de primera clase a una población de 18,000 habitantes de escasos recursos económicos. Gracias a René Morales, Presidente de Grupo Uno y sus afiliadas AVALCARD y BANCO UNO, por su generosidad.

Big Gully, Guanaja, FT

Table of Contents
Índice

French Angelfish
Pez Ángel Francés, AKR

Presentation

It is a pleasure for GRUPO UNO and its affiliates, AVALCARD and BANCO UNO, to sponsor the publication of this book, The Bay Islands of Honduras, for two equally important reasons. First, the book showcases the natural beauty of Honduras, and second it benefits the Doc Polo Galindo Clinic, which will serve a population of more than 18,000 low-income Honduran families.

This year we celebrate the 500 year anniversary of Christopher Columbus' discovery of the Caribbean coast of Central America. The famous navigator stepped onto Soldado Beach in the northwestern coast of Guanaja and became one of the Bay Islands' first tourists to be awe-struck by the beauty of the archipelago. "Green, green, green!" were the admiring words he uttered as he beheld the pine-covered island.

This book proudly displays the treasures of the Bay Islands. The bilingual publication of the two versions, English-Spanish and English-Italian, are enriched by magnificent photographs that display the variegated beauty of our landscape.

By participating in a project that showcases the environment and the cultural heritage of Honduras, I beseech all Hondurans and tourists that visit our islands to protect our natural surroundings and ecology so that future generations can also enjoy the abundant wildlife and rich history of Honduras.

Rene Morales
President
GRUPO UNO, AVALCARD, BANCO UNO
July 30, 2002

Presentación

Es un placer para GRUPO UNO y sus afiliadas AVALCARD y BANCO UNO patrocinar la edición del libro, <u>Las Islas de la Bahía de Honduras</u>, por dos razones especiales, ambas igualmente importantes. La primera, divulgar las bellezas naturales de Honduras, y la segunda, beneficiar a la Clínica Doc Polo Galindo que servirá a una población de más de 18,000 hondureños provenientes de hogares menos privilegiados.

Este año celebramos el V centenario del descubrimiento por Cristóbal Colón de la costa Caribe centroamericana. Este evento, justamente tuvo lugar en Islas de la Bahía, desembarcando el famoso navegante en playa Soldado, en la costa noroeste de Guanaja, convirtiéndose él en el primero de incontables turistas que se han deslumbrado por la belleza de este archipiélago. "¡Verde, verde verde!", fueron las primeras palabras del almirante al ver la isla cubierta de pinos.

Orgullosamente, este libro muestra al mundo las riquezas que ofrecen las islas de la bahía de Honduras. Esta publicación bilingüe, en sus dos versiones, inglés-español e inglés-italiano, está enriquecida con magníficas fotografías que reflejan la variedad y la belleza de nuestro paisaje.

Al colaborar con la divulgación del aspecto paisajístico y de la herencia cultural de Honduras, hago un llamado a todos los hondureños y a los extranjeros que visitan nuestras islas, para que cuidemos nuestro paisaje y nuestro ambiente ecológico de manera tal que las próximas generaciones gocen de la misma riqueza histórica y de la abundante naturaleza que hoy disfrutamos en las fotografías de este libro.

René A. Morales
Presidente
GRUPO UNO, AVALCARD, BANCO UNO

Julio 30, 2002

Children of Bonacca
Niñas de Bonacca, Guanaja, AV

Introduction

In the making of a book on the Bay Islands of Honduras, I have come full circle to a time when I was eight years old and my father and I visited a small abandoned cay situated at the entrance of Port Royal, Roatan.

The trip to Fort Morgan Cay was full of expectations and adventure. We traveled in a humble cargo boat that journeyed from La Ceiba to French Harbour. As we neared the final docking point, the captain momentarily stopped the engines so my father and I could leap into the sea and swim to shore. I abandoned myself to those crystalline waters and discovered, reflecting in the whitest sand, enormous starfish in a palette of colors that ranged from the most tenuous yellow to the deepest saffron. We leaped off the boat provisioned with only our bathing suits and the T-shirts on our backs. Everything we needed we carried within ourselves—the thrill of adventure, our limitless imaginations, and together we shared the wonders of that tiny paradise.

The cay gave us everything. Its glassy waters provided us with lobsters, conch, and fish we broiled on the beach. Our meals were perfectly seasoned by the salty spray, coconut milk, and our pangs of hunger. When it rained we found shelter within the walls of the ancient fort that once belonged to English buccaneers. My father told me fantastical stories of the pirates' hidden treasures, and at night the sky unveiled a spectacle of constellations that has forever remained engraved in my memory.

History tells us that Fort Morgan Cay was once the hideout of the famous Welsh pirate Sir Henry Morgan. While attacking Spanish galleons he found refuge in the profound waters and protective reefs of Port Royal. With these images serving as a backdrop, my imagination soared with the hopes of finding such fabulous treasures. I played along the spindly roots of the labyrinthine mangroves and I continued my search along the coral crevices and rocky ruins of the fort determined to find a gold lingot, doubloon, or precious gem.

When we returned to La Ceiba the following day, my mother tried to alleviate our sunburned and peeling shoulders with freezing cold compresses of vinegar water. But even the nastiest burns could not affect us; nothing could diminish the happiness we carried inside.

I stopped going to Fort Morgan Cay when my father died; I was fourteen years old. That world of adventure was gone. But the cay continued to live inside of me, blanketed by nostalgia and the longing left by my father's absence. I no longer saw golden sunrises or found perfect shells washed up on shore, and I missed the islanders' cadenced accents and the sweetness of conch fresh from the sea. And

A BRIEF HISTORY OF THE BAY ISLANDS OF HONDURAS
BREVE HISTORIA DE LAS ISLAS DE LA BAHÍA DE HONDURAS

Calf and Cow, Port Royal, Roatan, FT

The Bay Islands of Honduras were spawned by fire and thunder about 180 million years ago. Triggered deep beneath the surface of the earth by drifting tectonic plates, earthquakes created rumblings throughout Central America, and great rifts and deep, jagged faults appeared. Along the north coast of what is now Honduras, violent geologic events caused massive outpourings of molten lava beneath the waters of the Western Caribbean, and close to the mainland a chain of ragged islands was born from beneath the turbulent surface of the shallow sea.

As time passed and these smoldering landmasses cooled, a riot of vegetation began to first appear on the jagged shores, then gradually crept inland toward the rocky spines of these newly born islands. Beneath the waters surrounding them, drifting embryonic corals found bare lava rocks on which to attach themselves, and both above and beneath the sea, myriad tropical eco-niches slowly evolved towards the astounding, rich bio-diversity, and incredible beauty found in the Bay Islands today.

Las Islas de la Bahía, de Honduras, se originaron como resultado de fuego y estruendo lanzadas desde el fondo de la tierra, hace aproximadamente ciento ochenta millones de años. El desplazamiento de capas tectónicas provocó violentos terremotos que sacudieron a Centroamérica, apareciendo grandes riscos y fallas profundas en el océano. A lo largo de la costa norte de lo que ahora es Honduras, estos violentos movimientos geológicos causaron erupciones masivas de lava derretida bajo las aguas del mar Caribe Occidental y, cerca de la costa, una cadena de islas nació bajo las turbulentas y poco profundas aguas del océano.

Al pasar del tiempo y enfriarse las hirvientes masas, un estallido de verde vegetación apareció en las borrascosas orillas y lentamente comenzó a trepar hacia el espinazo de la cordillera rocosa de estas recién nacidas islas. En la profundidad de las aguas que las rodeaban, los corales, todavía en estado embriogénico y flotando a la deriva, encontraron rocas de lava pulida

Coxen Hole, Roatan, AV

While one can only imagine how the islands must have appeared when the ancient Paleo-Indians first arrived, perhaps as recently as two to three thousand years ago, we do have clear accounts of these islands from the first Europeans to arrive on their scenic shores. Early on July 30th in the year 1502, a lookout aboard Christopher Columbus' ship first sighted a high island covered by lofty pine trees.

As the Spanish approached the island of Guanaja they saw two large dugout canoes—one measuring forty feet long and made from the trunk of a single tree—loaded with exquisite goods and carrying merchants who were trading with the native Paya islanders. These merchants were Mayan and, pointing toward the northwest, indicated that they had come across the western Caribbean from Yucatan. It was during this encounter that the word "Maya" was introduced to Europeans, and had Columbus but listened to those Mayan traders and changed his course and sailed in the direction they indicated, it would have been he who discovered the great wealth of the ancient Mayan Empire instead of Hernán Cortez, who in 1519 conquered Mexico and triggered an incredible flow of gold and silver to be transported in galleons from the mines of the New World to Spain.

From 1492 until 1536 the Spanish enjoyed complete control of the tropical New World, and the Caribbean Sea became known as "El Lago de España", "The Spanish Lake." This dominance ended in 1536 when the French appeared in the Caribbean, but this was only the beginning of Spain's problems with the "Brethren of the Coast"; by 1564 British buccaneers began to use the Bay Islands, primarily Roatan, as a base for raiding Spanish ships, and by 1578 the Dutch, in the presence

a las que sujetarse; tanto en la superficie como en el fondo del mar, una miríada de nichos ecológicos tropicales se desarrollaron lentamente hasta convertirse en lo que es la extraordinaria e increíblemente bella biodiversidad de las islas de nuestra época.

Uno solamente puede imaginar cómo lucirían estas islas cuando los primeros indígenas de la era Paleolítica arribaron a ellas, probablemente hace dos o tres mil años. Sin embargo, tenemos narraciones de estas islas descritas por los primeros españoles que desembarcaron en sus costas. Al amanecer del 30 de julio de 1502, un vigía a bordo de la carabela de Cristóbal Colón avistó las cumbres de una isla cubierta de esbeltos pinos.

Al acercarse los españoles a la isla de Guanaja, vieron dos inmensas canoas,— una medía aproximadamente diez metros y medio de largo y estaba esculpida del tronco de un solo árbol — repletas de exquisitas mercancías que llevaban los que comerciaban con los isleños indios paya. Estos mercaderes eran mayas y señalaban hacia el nordeste, indicando que habían venido a través de la costa occidental del Caribe desde Yucatán. Fue durante este encuentro cuando se introdujo el vocablo "maya" entre los europeos. Si Cristóbal Colón hubiese escuchado a aquellos comerciantes mayas y cambiado su curso de navegación hacia la dirección a la que ellos indicaban, hubiera sido él quien descubriera la inmensa riqueza del gran Imperio Maya, en vez de Hernán Cortéz, quien, en 1519, conquistó México y lanzó un caudal de oro y plata que se transportó en galeones a España desde las minas del Nuevo Mundo.

Desde 1492 hasta 1536, los españoles tuvieron control completo del trópico del Nuevo Mundo, y el mar Caribe se conocía como "El Lago

of the pirate Van Horn, captured and pillaged Trujillo on the Honduran mainland. This same year the discovery of silver in the vicinity of the newly established city of Tegucigalpa greatly increased the export of treasure through the colonial seaport of Trujillo, and in 1594 large numbers of pirates began to gather in the islands of Utila, Roatan, and Guanaja. Between 1621 and 1635 the Dutch alone captured five hundred forty seven Spanish treasure ships and many tons of gold, silver, and precious stones.

In England, the Puritan Party organized the Providence Company in 1630, and in 1631 established an agricultural colony on Roatan. This early English colony flourished for ten years until Spanish ships from Trujillo totally destroyed it in 1641 and drove the English settlers away. As revenge, Captain William Jackson, an officer of the Puritan Party, arrived in 1642 with sixteen British ships and bombarded Trujillo for several days, totally destroying this Spanish colonial city that lay directly across from the Bay Islands. After that time, buccaneers and pirates utilized the excellent natural harbors of the islands unchallenged, the most famous being the Welch pirate, Captain (Sir) Henry Morgan and the mysterious English buccaneer, Captain John Coxon, who lived on Roatan from 1687 to 1697, and for whom Coxen Hole, capital of the Bay Islands, was presumably named. Even to this day local legends of buried Spanish treasure still exist in the Bay Islands.

The English began to settle the islands, and most of the present older villages still bear names found on British maps dating back to 1742, with the exception of Calkett's Hole (now Coxen Hole) and Falmouth Harbour (now Oak Ridge). In the early morning of March 2nd 1782, however, the Spanish launched a well-coordinated attack against Port

de España". Este dominio concluyó en 1536, cuando los franceses aparecieron en el Caribe. Sin embargo, dicha presencia fue solamente el principio de los problemas de España con los "hermanos de la costa", ya que, para 1584, los bucaneros ingleses comenzaron a utilizar las islas de la bahía, principalmente Roatán, como su base para atacar a los galeones españoles. Seguidamente, los holandeses en 1578, bajo el mando del pirata Van Horn, saquearon la Villa de Trujillo en la costa hondureña. Ese mismo año, con el descubrimiento de yacimientos de plata cercanos a la recién establecida ciudad de Tegucigalpa, se aumentó el transporte del tesoro a través del puerto colonial de Trujillo y, en 1594, numerosos piratas empezaron a congregarse en las islas de Utila, Roatán y Guanaja. Tal fue la magnitud del saqueo, que solamente entre 1821 y 1835, los holandeses habían capturado quinientos cuarenta y siete galeones españoles conteniendo toneladas de oro, plata y piedras preciosas.

En 1630, el Partido Puritano en Inglaterra organizó la "Providence Company", y en 1631 estableció una colonia agrícola en Roatán. Esta primitiva colonia inglesa floreció durante diez años, hasta que los barcos españoles, atacando desde Trujillo, la devastaron totalmente e hicieron huir a sus colonizadores. En venganza, el capitán William Jackson, un oficial del Partido Puritano, arribó en 1642 con dieciséis barcos ingleses, y bombardeó Trujillo durante varios días, destruyendo totalmente esta villa colonial española situada directamente frente a Islas de la Bahía. Después de esto, los bucaneros y piratas utilizaron a su libre albedrío los excelentes recodos y bahías naturales de las islas, siendo entre los más famosos el pirata galés, Sir Henry Morgan, y el misterioso bucanero inglés, el capitán John Coxen, quien vivió en Roatán desde

Royal on Roatan, and on the 16th of March the English surrendered and 500 of their dwellings were destroyed. Six years later, in 1788, the English completely evacuated all settlements in the Bay of Honduras and the islands lay deserted for almost fifteen years until 1797, when the English transported by force some 5,000 "Black Caribs" (a mixture of Carib and Arawak Indians and Africans) from the Windward Island of St. Vincent and marooned them on the then empty beaches of Port Royal, Roatan.

The Black Carib, now called Garifuna, moved to the north shore where they reside to this day in their unique village of Punta Gorda; many are gifted artisans and craftsmen, and their dances, such as the famous punta, are well known and performed today throughout much of the world. In New York City, Garifuna are known as excellent teachers and talented writers that have infused the U.S. with their culture, much as they have done on the island of Roatan and the smaller Hog Islands to the south, now called Cayos Cochinos.

With the exception of the Garifuna settlement, the Bay Islands remained unoccupied until 1834 when an English family came first to Utila. Shortly afterwards, both freed slaves and white families began arriving from The Cayman Islands, British Honduras, and Jamaica, and settled all three islands, as well as the keys, and a few years later the Bay Islands were declared a British Crown Colony. Due to pressure from the United States, however, on July 9, 1860, the British Consul at Comayagua (Honduras), acknowledged receipt of a dispatch informing him that the "Colony of the Bay Islands" was to be ceded to the Republic of Honduras. On July 14,1860, the Government Gazette of Belize ran a notice that the colony had been so ceded and

1687 a 1697. En honor a él se presume se le llamó Coxen Hole a la capital de Islas de la Bahía. Hasta el día de hoy, las leyendas locales hablan de tesoros enterrados en ellas.

Los ingleses comenzaron a colonizar dichas islas, y la mayoría de las antiguas aldeas todavía llevan nombres que se encuentran en antiguos mapas británicos que datan de 1742, con excepción de Calkett's Hole (ahora Coxen Hole) y la bahía Falmouth (ahora Oak Ridge). Sin embargo, en los amaneceres del 2 de marzo de 1782, los españoles lanzaron un ataque bien coordinado contra los ingleses en la bahía de Port Royal, en Roatán. El 16 de marzo, los británicos se rindieron y quinientas de sus moradas fueron destruidas. Seis años más tarde, en 1788, los ingleses evacuaron todos sus asentamientos en la bahía de Honduras. Las islas permanecieron desiertas durante casi quince años, hasta 1797, cuando ingleses que habitaban otras islas en el Caribe transportaron por la fuerza a casi cinco mil negros carib, (una mezcla de indios carib, arahuakos, y africanos) de la isla Windward en St. Vincent, y los abandonaron en las entonces desoladas playas de Port Royal, Roatán.

Los negros carib, ahora llamados garífunas, se trasladaron a una playa en la ribera norte de Roatán. Hasta el día de hoy residen en su original aldea de Punta Gorda. Estos extraordinarios artesanos son muy conocidos especialmente por sus bailes, como la famosa "punta" difundida por todo el mundo. En la ciudad de Nueva York, por ejemplo, los garífunas son reconocidos como excelentes profesores y talentosos escritores y han influenciado grandemente en la cultura de los Estados Unidos, de la misma manera en que ejercen su influencia en Roatán y en las más pequeñas islas Hog al sur, ahora llamadas Cayos Cochinos.

Garífuna Dance
Baile garífuna,
Punta Gorda, Roatan, FT

21

noted that island inhabitants were offered free land to any of Her Majesty's Colonies in the British West Indies. No evidence exists that any Bay Islanders took Queen Victoria's offer, and many islanders until recently still considered themselves British; as late as 1961, when my wife and I first set foot on Roatan from the heaving deck of the little freight boat "Edith Mc," there was a hand-printed sign hanging in the tiny post office in French Harbour. It read:

"COUNT YOUR MONEY IN LEMPIRA (in lieu of U.S. currency that was then called "gold" by all islanders). REMEMBER, WE LIVE IN HONDURAS."

When asked why the sign did not read "REMEMBER WE ARE HONDURAN," the post-master smiled, shook his head, and said quietly as he handed me my change, "You'll find out, when ya stays here awhile."

The culture of the islands remained much as it was until the middle part of the 1960's when a road was built linking Coxen Hole with the fishing village of French Harbour. Soon after that, the first aircraft, a tiny, single-engine plane, landed on a flat spot near Coxen Hole; it was brought in late one evening by folks with flashlights and lanterns and marked the beginning of an ever accelerating change that was to sweep through these idyllic islands. Soon after-wards shrimp boats from Texas began arriving for repairs on their way down to the rich fishing grounds off The Hobbies and other cays to the south, and the islanders became aware that they too could take advantage of the bountiful gifts from the sea. Before the introduction of commercial fishing, many men went to sea aboard merchant ships, sending home allotment checks to their families. Others worked in small farming, cattle ranching, and subsistence fishing with hand-lines from small paddle dories in the deep blue water beyond the reef.

Con la excepción del asentamiento garífuna, Islas de la Bahía permaneció deshabitado hasta 1834, cuando una familia inglesa llegó a Utila. Poco tiempo después, esclavos liberados y familias de blancos comenzaron a llegar desde Islas Caimán, la entonces Honduras Británica (ahora Belice) y Jamaica, estableciéndose en Roatán, Guanaja y Utila, lo mismo que en los cayos. Años después, se declaró a Islas de la Bahía como una colonia de la Corona Británica. Sin embargo, debido a la presión ejercida por los Estados Unidos, el 9 de julio de 1860, el cónsul británico en Comayagua, Honduras, recibió un despacho informándole que la Colonia de Islas de la Bahía debía ser cedida a la República de Honduras. El 14 de Julio de 1860, la gaceta del Gobierno de Belice publicó un aviso notificando que la colonia había sido cedida y que a los habitantes de las islas se les ofrecían tierras gratis como súbditos de las colonias de Su Majestad en las Indias Británicas Occidentales (British West Indies). No existe ninguna evidencia de que alguno de los isleños de la bahía haya aceptado el ofrecimiento de la Reina Victoria. Sin embargo, hasta hace poco, muchos isleños seguían considerándose británicos.

En 1961, cuando mi esposa y yo pusimos pie por vez primera en Roatán, al bajarnos de un pequeño carguero llamado "Edith Mc", vimos un rótulo escrito a mano en la pequeña Oficina de Correos de Roatán que decía:

"CUENTE SU DINERO EN LEMPIRAS (en vez de la moneda americana, al que los isleños llamaban "oro") RECUERDEN: VIVIMOS EN HONDURAS". Al preguntarle por qué el rótulo no decía "RECUÉRDEN QUE SOMOS HONDUREÑOS", el encargado de la Oficina de Correos sonrió moviendo la cabeza y dijo suavemente: "Usted lo descubrirá cuando se quede aquí por un tiempo".

In the late 1960's and early 1970's, fish-packing plants were built in Oak Ridge and French Harbour, recreational divers discovered the islands, and ex-pats began to arrive. Seeking employment, immigrants from the mainland of Central America appeared in larger and larger numbers, and the population of the island leaped from nearly nine thousand people in 1961 to nearly thirty thousand in 2001. Today, the Spanish language is spoken everywhere, where before the lyrical island English had been primarily spoken. With these rapid demographic changes and the increase in the tourism industry came new employment opportunities for many islanders, and the island quickly changed from a partial barter system into a pure cash economy. Yet, even in the year 2002 one still finds quiet villages where everyone converses in the delightful, "old island English" and where an islander of any color may be heard boasting, "Me? Why mon, I bees an English mon!"

David K. Evans, Ph.D.
Professor of Anthropology, Emeritus
La Casa Promesa, Ruby Lee Ridge Estate
Roatan Island, Honduras

La cultura de las islas es aún muy parecida a la que se encontraba a mediados de 1960, cuando se construyó la carretera que une a Coxen Hole con el puerto pesquero de French Harbour. Poco después, el primer aeroplano, un pequeño avión unimotor, aterrizó en una planicie cercana a Coxen Hole, llegando al anochecer iluminado por gente que portaba lámparas y linternas, marcando así un ritmo más acelerado en el cambio que invadiría estas idílicas islas. Después, comenzarían a llegar los barcos camaroneros desde Texas para ser reparados en su travesía hacia las ricas zonas pesqueras de los cayos Hobbies y otros más hacia el sur, y los isleños descubrirían que también ellos podían aprovechar las abundantes riquezas del mar. Antes de la introducción de la pesca comercial, muchos de ellos se acomodaban con grumetes a bordo de los barcos pesqueros extranjeros, a fin de sostener a sus familias en las islas. Otros trabajaban como pequeños agricultores, o ganaderos, o pescaban con anzuelo desde pequeños "dories" de remos en las profundas aguas azules más allá de los arrecifes.

A finales de los años sesenta y setenta, se construyeron plantas empacadoras de mariscos en Oak Ridge y French Harbour. Los amantes del buceo descubrieron las islas, los extranjeros comenzaron a establecerse y los inmigrantes de tierra firme de Centroamérica, cada vez más numerosos, aparecieron buscando empleo. La población de Islas de la Bahía pasó de unas nueve mil personas en 1961 a casi treinta mil en el 2001. Ahora, el idioma español se habla por doquier, donde antes solo se escuchaba el acento lírico del inglés caribeño. Con estos bruscos cambios demográficos, más el aumento del turismo, llegaron nuevas oportunidades de empleo para los isleños y

*la isla cambió de un sistema parcial de canje o trueque, a una economía de dinero en efectivo. Sin embargo, ya en el año 2002, todavía uno encuentra apacibles aldeas donde todos conversan en el delicioso "old island english" y donde un isleño de cualquier color presume: * Me? Why mon, I bees an English mon".*

David K. Evans Ph. D.
Profesor de Antropología
La Casa Promesa, Ruby Lee Ridge Estate
Roatán, Honduras

*"¿Yo?, por supuesto, soy inglés, pues".

Utila, AV

Cayos Cochinos, FT

telling, card playing, and feasting—the punta has now become a part of Roatan's tourist entertainment repertoire. At local hotels, you can witness Garifuna dancers perform this dance that honors their ancestors for blessing them with sustenance and symbolizes the making of cassava bread. Musicians strike turtle carapaces and rattle shell maracas, while the sound of mahogany drums resonates bone-deep. Men dressed in masks streaming with colorful ribbons wave their arms and hop from foot to foot, setting off the shirred tinkling of tiny shells beaded onto their knee-pads. Beneath their braids, the women hinge a flirting smile on their high cheekbones as they seductively circle their torsos in a dance that is all hips; their moves trace a stormy ocean's peaks and valleys.

With the drum beat still thrumming in your veins, you can't help but wonder what kind of landscape Roatan's first inhabitants must have roamed through centuries ago. Passing a blur of pink-blossomed gliricidia trees and returning west on the highway, acres of teak, cedar, and mahogany canopy Neverstain Bight on the southern shore of Roatan and provide a peek into the days of shipwrecked sailors. Here, you can hike beneath the sunshade of ear pod trees, sample cashew fruit and Spanish plums, or you can spot the bulbous nests of termites perched in the branches of the cecropia tree. The elephant-like roots of strangler figs stretch across gullies lined with smooth stones and veined quartz. And as you look up, the sun peeks through tall cohune palm fronds and creates a cathedral of light.

Contrasting with this eden is Coxen Hole, Roatan's capital city situated just a few miles from the airport in west Roatan. This seaside town is lined with shops, banks, bars, and restaurants; women selling freshly peeled oranges and pastries

rallador de hojalata; luego, escurren el líquido apretando, entre sus hábiles manos negras, la brillante pulpa blanca de la yuca. Con esta pulpa hacen un pan circular, aplanado como enormes lunas blancas, que se cuece en hornos de barro y se disfruta en cada comida.

Al mediodía, una sensación penetrante de sopor cubre a Punta Gorda; todos se congregan en las verandas de las coloridas cabañas viendo al mar, o en hamacas a la sombra, y conversan en garífuna, entremezclándose los sonidos del francés, inglés, caribe y africano. El día se extiende hasta la noche y, en algunas ocasiones, se escucha un hipnótico sonido de tambores y el arrastre de pies sobre el piso arenoso. Tradicionalmente, se celebra una danza funeraria en el noveno día del velorio, la "punta," una especie de fiesta de despedida para el difunto que incluye el contar cuentos, jugar a las cartas y festejar la vida.

Este baile ritual se ha convertido en parte del repertorio del entretenimiento para los turistas de Roatán. En los hoteles, los bailarines garífunas ejecutan esta danza para honrar a sus antepasados, agradecer el sustento recibido y celebrar su pasión por la vida. Los músicos golpean carapachos de tortugas y sacuden maracas de caracoles, mientras el sonido de tambores de caoba resuena hasta en lo más profundo del ser. Los hombres cubiertos por máscaras de tela metálica de la que cuelgan coloridos listones ondean sus brazos y saltan de un pie al otro, aumentando el cascabeleo de pequeñas conchas bordadas en sus rodilleras. Bajo sus trenzas, las mujeres lanzan una sonrisa coqueta, mientras giran sus torsos seductivamente en un baile que es todo caderas: sus movimientos trazan crestas y valles de un mar en tormenta.

Con el sonido del tambor todavía resonando

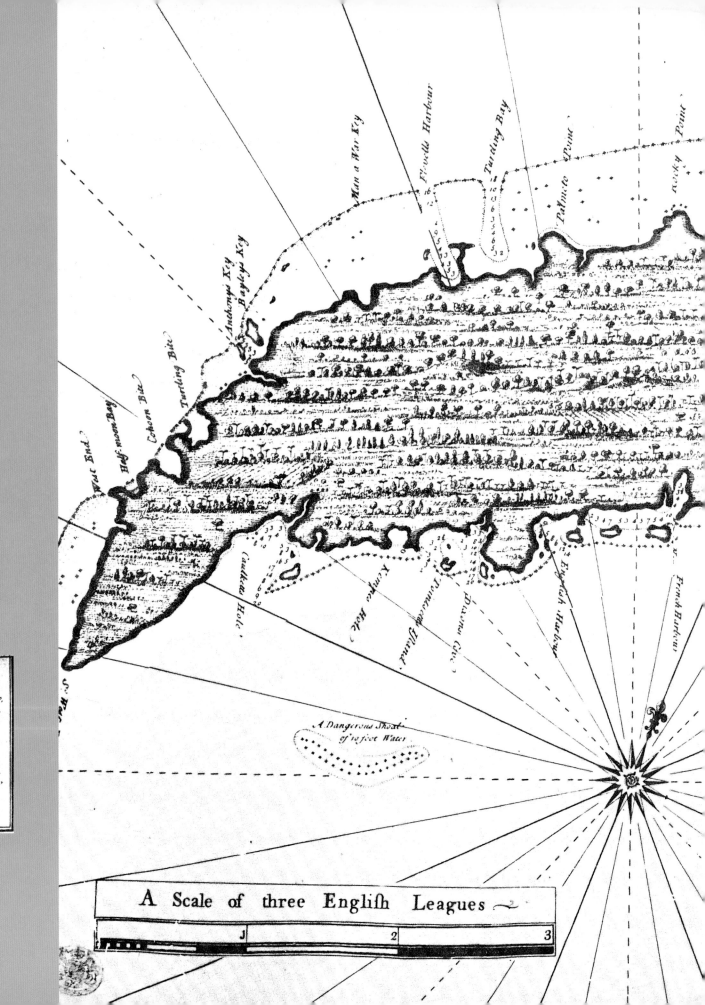

A DRAUGHT
of the
ISLAND RATTAN,
in the BAY of HONDURAS,
in Latitude 16 22 *North.*

By Lieutenant Henry Barnsley 1742.

~ Description ~

This is a plentifull Island Abounding with Wild Hoggs, Deer, Indian Conies, Wild Fowl, and Quantitys of Turtle, and fine Fish &c. its Soil in the Vallies is Rich and Fertile, and will Produce any thing in Common with the Rest of the West Indies. There is very good Oak grows on this Island, likewise Pine Trees of Sufficient Bigness to make Masts and Yards for Merchants Ships. The South Side is very Convenient for Shiping, having many fine Harbours. The North Side is bounded by a Reef of Rocks that Extend from one End of the Island to the Other, Having but few Passages through and those of but small Note, being mostly made use of by Turtlers. This Island is very well Scituated for Trade both with the Spaniards and the Bay of Honduras. It is likewise very Healthy the Inhabitants hereabout generally Living to a Great Age.

A Scale of three English Leagues

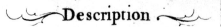

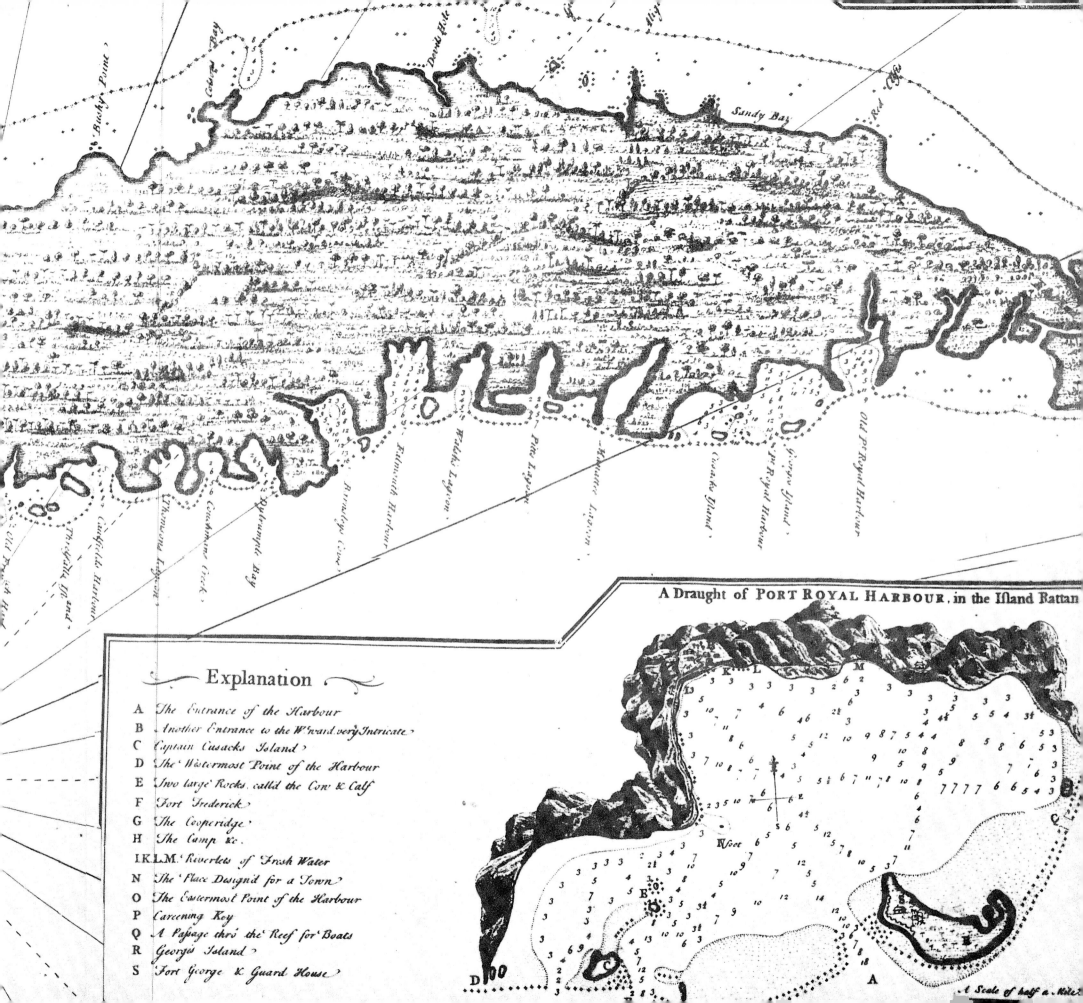

A Draught of PORT ROYAL HARBOUR, in the Island Rattan

Explanation

A The Entrance of the Harbour
B Another Entrance to the W'nward very Intricate
C Captain Cusacks Island
D The Westermost Point of the Harbour
E Two large Rocks call'd the Cow & Calf
F Fort Frederick
G The Cooperidge
H The Camp &c.
I.K.L.M. Riverlets of Fresh Water
N The Place Design'd for a Town
O The Eastermost Point of the Harbour
P Careening Key
Q A Passage thro' the Reef for Boats
R George's Island
S Fort George & Guard House

A Scale of half a Mile

congregate in the central plaza, shaded by almond trees and surrounded by Town Hall and other government and commercial buildings. On Tuesdays and Thursdays, the traffic is insurmountable; an unending parade of buses and taxis emblazoned with mirrored stickers crawls towards the ferry port and cruise ship pier to offer tourists their services. On these days, the islanders breathe an air of nervous anticipation, store owners set out their handicrafts, young girls parade the boardwalk, tour and dive operators wait with clipboards in hand. Already, thousands of tourists arrive as day-trippers to Roatan, and a larger dock is under construction to allow for cruise ships to moor overnight. But this tourist traffic is sporadic and fickle, very different from the traffic of the daily ferry that shuttles passengers back and forth between Coxen Hole and La Ceiba. This ferry establishes a symbiotic link between the towns; on the mainland, islanders stock up on supplies, receive a check-up from their doctors, or visit their children who attend school there. In turn, many of Ceiba's residents come to Roatan to work as bartenders or waiters in one of the many hotels and restaurants that make up West End.

In West End, sunburned tourists walk the sandy strip and are lured by shops that peddle batik sarongs, flourescent bikinis, straw hats, and Central American handicrafts. Hard-core divers return from a 6 hour tour to share Port Royals at a bar broad-casting videos of arcing dolphins, eels peeking from beneath brain coral, mantas waving their spotted wings. Others choose to rent kayaks or windsurfers, explore the reefs from a glass-bottom boat, or simply laze on the white sand beaches. After making a pit-stop at one of the restaurant-bars set on pilings above the lagoon and feasting on the catch of the day, maybe dancing to a soca beat or to Ricky

en tus venas, no puedes dejar de pensar y preguntarte qué clase de paisaje rodeaba a los primeros habitantes de Roatán hace siglos. Pasas al lado de una mancha de rosados "madriados," y. regresando hacia el oeste en la carretera, se ven grandes extensiones de teca, cedro y caoba recubriendo Neverstain Bight, en la costa sur de Roatán, lo cual nos hace imaginar la época en que marineros náufragos se deslumbraron al ver la abundancia de madera con que reparar sus barcos. Aquí, bajo la sombra de un guanacaste, pruebas las frutas del marañón y jocotes (ciruelas de jobo), o puedes observar los nidos bulbosos de comején enclavados en las ramas de los guarumos. Las raíces elefantiásicas de los amates se estiran sobre las hondonadas tapizadas de piedras lisas y de cuarzo. Y al mirar hacia arriba, el sol se cuela a través de las frondas de las altas palmas de corozos que crean una catedral de luz.

Contrastando con este edén, está Coxen Hole, la ciudad capital, situada a unas pocas millas del aeropuerto, al este de Roatán. Este pueblo marino está delineado por tiendas, bancos, bares y restaurantes; las mujeres venden naranjas peladas y pastelería, congregadas en la plaza central sombreada por almendros y rodeada de la alcaldía y otros edificios de gobierno y comerciales. Durante los días martes y jueves, el tráfico se congestiona; un desfile incesante de buses y taxis tapizados de brillantes viñetas circula lentamente hacia el puerto de los "ferries" y al muelle de los cruceros para ofrecer sus servicios a los turistas. En estos días, se percibe una nerviosa anticipación entre los isleños: los comerciantes de artesanías colocan afuera su mercancía, las jóvenes, seductoras, se pasean por el malecón, y los operadores de turismo y de buceo esperan con sus listas en mano. En esta época,

Martin, you can retire to one of the backpacker bungalows or wooden guest cottages tucked between a palm grove.

And as the sunset wrings the clouds into tie-dyed oranges and reds, you understand that Roatan is also on the cusp, balanced on the tip of becoming something wonderful and losing something essential. In their history, the Bay Islands have been discovered, raided, colonized, abandoned, then forgotten, and re-discovered again; you have to wonder what will become of Roatan in 10 or 20 years. If foreign developers of tourist facilities, resorts and gated residential communities don't continue to work with an environmental and social conscience, they are poised to incite another invasion.

What makes Roatan so wonderful is its living cultural and historical mosaic, and all that you can hope for is that the Bay Islanders take pride in their variegating skin tones and hair textures, that they remember their grandfather's stories, that they sway their hips and play their drums to remember their ancestors, that they hold the coral reefs and marine life as priceless doubloons and ruby-encrusted crowns. You hope that the island's heritage not only live in the indigenous grinding stones and statuettes locally called "yaba-ding-dings" or in the ragged maps and land deeds framed in the Roatan Museum, but also in the islander's hearts and minds.

miles de turistas arriban a Roatán a pasar el día; actualmente, se construye un muelle de mayor capacidad para permitirle a los barcos de cruceros anclar por la noche; sin embargo, el tráfico del turismo es esporádico e inconstante, muy diferente del de los "ferries" que trasportan pasajeros de un lado al otro entre Coxen Hole y La Ceiba. Este "ferry" establece una unión simbiótica entre los pueblos. En tierra firme, los isleños se aprovisionan de productos, pasan consulta con sus médicos o visitan a sus hijos que continúan sus estudios. En cambio, muchos de los residentes de La Ceiba vienen a Roatán a trabajar como cantineros o meseros en los hoteles y restaurantes que conforman el West End.

Allí en West End, los turistas bronceados caminan por la franja arenosa atraídos por tiendas que ofrecen "sarongs de batik", biquinis fluorescentes, sombreros de paja, y artesanías centroamericanas. Dedicados buceadores regresan a la superficie después de muchas horas a compartir cervezas "Port Royal" sumergidos en un bar que trasmite videos de delfines arqueándose, anguilas escondidas entre los macizos de coral, rayas agitando sus alas manchadas. Otros deciden alquilar "kayaks" o "windsurfers", o explorar los arrecifes desde botes de fondo de vidrio, o simple-mente tumbarse al sol en las blancas arenas. Luego de hacer una parada obligatoria en uno de los restaurantes sobre pilotes en la bahía, y festejar la pesca del día, tal vez bailar al sonido de soca o de Ricky Martín, y después retirarse a su cabaña de "back packer" o a una cabaña de madera en medio de un palmeral.

Y mientras el atardecer estruja las nubes en telajes pintados de rosa y naranja, comprendes que Roatán está también en la cúspide, balanceándose

Dory, Roatan, FT

entre convertirse en algo maravilloso o a punto de perder algo esencial. A través de su historia, los isleños han sido descubiertos, vandalizados, colonizados, abandonados, luego olvidados, y redescubiertos de nuevo; debemos preguntarnos qué será de Roatán en diez a veinte años más. Si los especuladores de complejos turísticos, centros de vacaciones, y desarrollos residenciales amurallados no continúan trabajando con una consciencia social y de protección al medio ambiente, no solo podrían dañar ese paraíso, sino convertirse en una nueva invasión donde la cultura y las tradiciones también podrían ser alterados.

Lo que hace que Roatán sea maravilloso es su mosaico de herencia cultural e histórica, y todo lo que podemos desear es que los isleños profundicen su orgullo en las diferentes tonalidades de su piel, en las texturas de su cabello y en el valor incalculable de las historias de sus abuelos; que muevan sus caderas y toquen sus tambores para recordar a sus ancestros; que atesoren sus arrecifes de coral y su vida marina como doblones preciosos y coronas incrustadas de rubíes; que la herencia de la isla no solo viva en las piedras de moler indígenas y en las estatuillas llamadas "yaba-ding-dings" o en las rasgados mapas y títulos de propiedad enmarcados en el museo de Roatán, sino también en los corazones y en las mentes de los isleños.

Banana leaves
Hojas de banano, Roatan, FT

Approach...
...azure waters...verdant jungles...pristine beaches

AV

Desde el aire...
......aguas azules...exuberantes junglas...playas vírgenes

Roatan, FT

West End, Roatan, FT

...come in...
    ...pase adelante...

West Roatan, FT

East
Oriente, Roatan, FT

House
Casa, East Roatan, FT

House
Casa, Roatan, FT

Interior, Roatan, AV

Shop window
Vitrina, West Bay, Roatan, FT

Garden
Jardín, Oak Ridge, Roatan, FT

Blue Rock, Jonesville, Roatan, FT

Oak Ridge, Roatan, FT

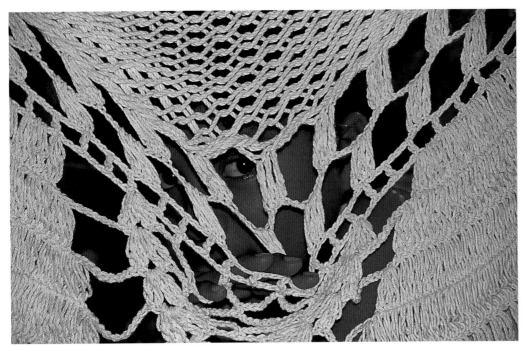

West Bay, Roatan, FT

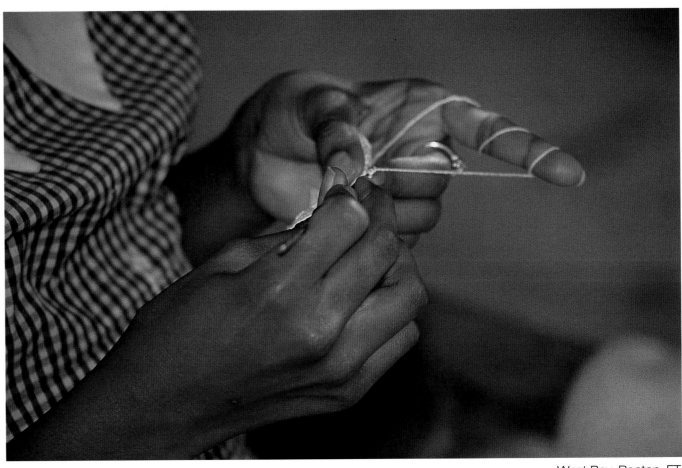

West Bay, Roatan, FT

Card game
Juego de Naipes, Coxen Hole, Roatan, AV

... faces of Roatan...
　　　...las caras de Roatán

Faces of Roatan
Caras de Roatán, AV & FT

Coxen Hole, Roatan, AV

French Harbor, Roatan, FT

Oak Ridge, Roatan, FT

Coxen Hole, Roatan, AV

Coxen Hole, Roatan, AV

Coxen Hole, Roatan, AV

Flowers Bay, Roatan, AV

Flowers Bay, Roatan, AV

Strangler Fig
Amate, Roatan, FT

Garifunas, Punta Gorda, Roatan, AV

...Garifunas...
   ...Garifunas...

Garifunas, Punta Gorda, Roatan, AV

Garifunas, Punta Gorda, Roatan, AV

Garifunas, Punta Gorda, Roatan, FT

...the sandy shuffle of feet...
...resbalando los pies sobre la arena...

...ancestral sustenance...
...sustento ancestral....

island is full of these relics and in fact, in a site called Plan Grande in the interior lowland of eastern Guanaja, several artifacts such as pot holders and grinding stones have been discovered, and petroglyphs are also said to be found in areas near Mangrove Bight. Miss Melba recounts how the Spanish forcibly removed the indigenous peoples because they had "become friendly with the pirates." Small groups of pirates favored Guanaja for its large lagoon on the south side that is protected by the cays, and 7 reef openings that allowed for easy escape if attacked while anchored. Miss Melba explains that unbeknownst to the pirates, the Paya would watch the pirates bury their treasure and later dig it up. She claims her father often met the descendents of the Paya on the mainland, who he described as "small men, spotted with a sickness," offering to sell gold nuggets.

And as she continues to recite her poem, her voice charged with the energy of swashbuckling swords, she finishes with a mischievous look in her eye:

Yes, the island is peaceful today;
Drowsing in tepid, tropic air.
Those grim old rocks on that hillside gray
Have seen what would turn your hair!

Miss Melba retains this storytelling drama in her voice when she recalls Hurricane Mitch, the storm that shredded Guanaja with its 160 MPH winds in 1998. "Oh, that Mitch came like a tiger growling and roaring across our island," she says, waving her papery hands across the horizon where we trace the outline of Guanaja's tallest peaks, denuded of their lush pines. "Green, green, very green," were the words Columbus uttered as he sailed onto Soldado Beach on the west side of

cerca la historia de la isla, y describe "la sangre que corría bajo de los árboles".

Miss Melba continúa el poema recitando sus líneas para recontar la historia de los indios paya que vinieron a Guanaja para hacer sus ofrendas. Nos explica que la isla está llena de estas reliquias; en efecto, en un lugar llamado Plan Grande, en el bajío del este de Guanaja, se han encontrado varios artefactos, como bases de vasijas y metates, y se dice que hay jeroglíficos en las zonas cercanas a Mangrove Bight. Miss Melba cuenta cómo los españoles retiraron por la fuerza a los indígenas porque "habían hecho mucha amistad con los piratas". Pequeños grupos de piratas escogían a Guanaja por su gran laguna al sur, que estaba protegida por los cayos y siete aperturas a los arrecifes que permitían un fácil escape al ser atacados cuando anclaban. Los paya observaban a los piratas esconder sus tesoros y despues los desenterraban. Ella asegura que su padre frecuentemente veía a los descendientes de los paya en la tierra adentro de Honduras, a quienes describía como "pequeños hombres manchados por una enfermedad", que le ofrecían a la venta pepitas de oro.

Al continuar recitando sus poemas, su voz cargada con la energía de espadas entrechocándose, termina con una mirada maliciosa en sus ojos:

"Sí, la isla es pacífica ahora,
marcada en el aire tibio del trópico.
¡Esas lúgubres rocas en la gris ladera
han visto cosas que te harían palidecer!"

Miss Melba mantiene este acento dramático en su narración cuando recuerda el huracán Mitch, la tormenta que desgarró a Guanaja con vientos de doscientos cincuenta y siete kilómetros por hora en

Guanaja in 1502 during his fourth voyage to the New World. He called it the Isle of Pines, noting in his diary that the wood could serve to repair ship masts and spars.

And as we leave Miss Melba back on Bonacca and motorboat through the channel that splits Guanaja in two and provides access to the north side of the island, we pass beneath those very peaks. We note the stark patches where, even 4 years after Mitch, the headless pines still stand out like burnt matches. But even after centuries of hurricanes, the island retains the green aura Columbus spoke of; donations have been made towards reforestation and the island's tropical vegetation has regenerated quickly—much like Bonacca's hearty residents who found their houses stripped to the foundations and who returned to rebuild on the very same spot. Already many acres of pine have been replanted and mangrove seedlings around the coast are slowly taking hold.

At the source of Guanaja's greenness is its greatest blessing: water. Just past Soldado Beach and the peninsula of Michael Rock is a cove that leads to a waterfall called Big Gully. Accompanied by a symphony of birds, we hike past fragrant coco plum, papaya, and lemon trees, following the stream as it leads us to the cascade and wading pool surrounded by misty ferns, wild ginger, and mossy rocks. The quartz, slate, and mica that form the riverbed glint in the light, and from this hilltop we can see straight through the thick jungle of fruit trees down to the powdery beach where the ocean's gradations unravel from blue to green. And as we look upon the jungle through Columbus' eyes, we are aware that most tourists don't explore this side of Guanaja. Although activities such as kayaking, horseback riding, and hiking are available, most

1998. "¡Ah!, ese Mitch vino como un tigre gruñendo y rugiendo a través de la isla", dice, moviendo sus acartonadas manos hacia el horizonte donde vemos el trazo de los picos más altos de Guanaja, desnudos de pinos. "Verde, verde, verde", fueron las palabras que Colón exclamó al desembarcar en Soldado Beach, en el occidente de Guanaja, en 1502, durante su cuarta travesía al Nuevo Mundo. La llamó "Isla de Pinos"; anotó en su diario que la madera podría servir para reparar los mástiles y palos de los barcos.

Y al dejar a Miss Melba en Bonacca y proseguir en el pequeño bote de motor hacia el norte de la isla, pasamos al pie de esos picos. Notamos los parches pelados donde aún cuatro años después del Mitch, los pinos descabezados se alzan como fósforos quemados.

Pero a pesar de centurias de huracanes, la isla mantiene el aura verde de la que hablaba Cristóbal Colón. Han llegado donaciones para reforestar y la vegetación tropical de la isla se ha renovado rápidamente, al igual que los recios habitantes de Bonacca, que encontraron sus casas destruidas hasta los cimientos y regresaron a reconstruirlas en el mismo lugar. Muchas hectáreas de pino han sido resembradas, y los retoños de manglares alrededor de la costa están prosperando.

El origen del verdor de Guanaja es su mayor bendición: el agua. Justo al pasar Soldado Beach y el imponente peñón Michael Rock hay una ensenada que lleva a una cascada llamada Big Gully. Acompañados por una sinfonía de pájaros, escalamos entre fragantes icacos, papayas y limoneros, siguiendo el arroyo que nos lleva a la cascada y poza rodeada de helechos húmedos, jengibre silvestre y rocas musgosas. Las piedras de cuarzo, laja y mica que yacen en el fondo brillan en

Bonacca, Guanaja, AV

108

tourists arrive in a propeller-engine airplane to the single paved strip of the airport and are whisked away to their all-inclusive resorts for a dive holiday. Several cabana-style hotels suspend dramatically from Guanaja's cliff sides and brand new 5-star resorts set on the extensive and presently deserted beaches are in the planning stages. Up until now, hoteliers have taken a conscientious attitude towards the environment, functioning on generator-run electricity and water that is piped from a cistern in the hills. Adding to the verdant aspect of the island is the fact that presently there are no roads cutting through Guanaja's landscape since all transportation is handled by boat.

As we zip along the reefs' blue seam, we pass two small farming and fishing communities: the dramatic cliffs of Mangrove Bight on the north coast and Savannah Bight on the island's east side. The fishing industry of the Bay Islands originated in Guanaja; presently, there are a number of active processing plants and most islanders continue to make a living from fishing wahoo, king mackerel, tuna, and bonefish as well as lobstering and shrimping. Back on the streets of Bonacca, we stop at a local restaurant and feast on whole fried fish, though it seems most locals prefer Mexican food or hamburgers. "When you spend every day of your life pulling fish out of the ocean, in the end you want something different," the restaurant owner confesses to us.

By sundown on Fridays, Bonacca grinds to a halt. It is the Sabbath; families have retired to their living rooms, business entranceways cloaked in iron railings, and only shadows inhabit the narrow streets. But in the distance, we hear the pulsing of reggae and soca. Knowing that the majority of the wholesome townsfolk frown upon the bars and

la luz, y desde la meseta podemos ver, a través de las plantaciones de árboles frutales, hasta la playa arenosa donde las graduaciones del mar van desde el azul al verde. Y al ver la jungla a través de los ojos de Colón, descubrimos que la mayoría de los turistas no exploran este lado de Guanaja. Aunque hay actividades como navegar en "kayak," montar a caballo y hacer caminatas, la mayor parte de los turistas llegan en una avioneta a la única pista de aterrizaje del aeropuerto y son llevados de inmediato a los "resorts" con todas las comodidades para una expedición de buceo.

Varios hoteles de cabañas cuelgan dramática-mente desde los acantilados, y nuevos "resorts" de cinco estrellas ubicados en las extensas y aún desiertas playas están en etapa de preconstrucción. Hasta ahora, los hoteleros han mantenido una actitud consciente y positiva hacia el medio ambiente, utilizando, para su funcionamiento, electricidad a base de generadores y agua que se extrae de cisternas en las montañas. Además está el factor de que, actualmente, no hay carreteras atravesando el paisaje de Guanaja, ya que todo el transporte se hace por barco o lanchas.

Mientras navegamos sobre las azules aguas de los arrecifes, pasamos por dos pequeñas poblaciones pesqueras y de agricultores: los dramáticos riscos de Mangrove Bight, en la costa norte y Sabanna Bight, al oriente de la isla. La industria pesquera de las islas se originó en Guanaja; actualmente, hay varias plantas procesadoras y la mayoría de los isleños continúa ganándose la vida con la pesca de "wahoo," macarela, atún y macabí, lo mismo que con la pesca de langosta y camarón. De regreso en las calles de Bonacca, paramos en un restaurante y disfrutamos del pescado frito, aunque la gente local parece

Store window
Vitrina, Bonacca, Guanaja, FT

Eastward

...green, green, green...

Guanaja, FT

Rumbo este

...verde, verde, verde...

Guanaja, FT

House southwest of Bonacca
Casa al suroeste de Bonacca, Guanaja, FT

Bonacca, Guanaja, FT

Bonacca... a town on stilts

Bonacca... un pueblo sobre pilotes

Bonacca, Guanaja, FT

Bonacca, Guanaja, AV

Bonacca, Guanaja, FT

Bonacca, Guanaja, FT

122

Bonacca, Guanaja, FT

Bonacca, Guanaja, FT

Main Island
Isla de Guanaja, FT

Main Island
Isla de Guanaja, FT

...carved by waterfalls
...esculpida por cascadas

Main Island
Isla de Guanaja, FT

Big Gully, Guanaja, FT

Big Gully, Guanaja, FT

...stroll through the alleys...
...*recorriendo los callejones...*

Bonacca, Guanaja, AV

Bonacca, Guanaja, FT

Bonacca, Guanaja, AV

Bonacca, Guanaja, AV

Bonacca, Guanaja, AV

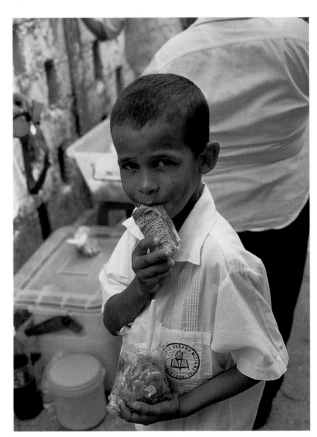

Bonacca, Guanaja, FT

Bonacca, Guanaja, AV

Bonacca, Guanaja, AV

Bonacca, Guanaja, AV

...sabbath...
...sábado...

Bonacca, Guanaja, FT

Bonacca, Guanaja, FT

134

Bonacca, Guanaja, FT

Bonacca, Guanaja, AV

Bonacca, Guanaja, FT

Bonacca, Guanaja, FT

Bonacca, Guanaja, FT

Bonacca, Guanaja, AV

Bonacca, Guanaja, AV

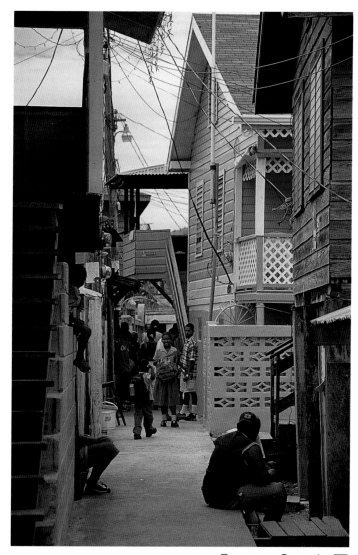

Bonacca, Guanaja, FT

Bonacca, Guanaja, FT

Bonacca, Guanaja, AV

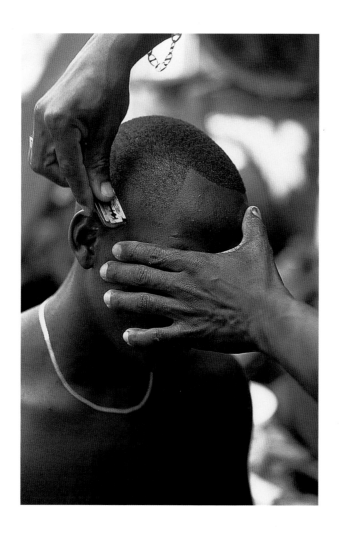

Bonacca, Guanaja, AV

Bonacca, Guanaja, AV

Bonacca, Guanaja, AV

Bonacca, Guanaja, AV

146

...airborne farewell...
...despegando de Guanaja ...

Michael Rock, Guanaja, FT

Dumbar Rock, Guanaja, FT

Private home
Casa particular, Guanaja, FT

Guanaja, FT

147

UTILA
UTILA

Utila, AV

7 mi. long, 3 mi. wide, highest point on island reaches 300 ft. above sea level.

Alton Cooper speaks proudly, almost with the Biblical reverence of Genesis, as he traces his lineage back to the first Englishman to settle in Utila. "First came Joseph Cooper, who had a son named James, who then had Elijah, who had Foster, and then came Foster Jr., then Jernigan, and then there's me, and I have a son, A.J." Alton Cooper, Utila's mayor, was three months into office when we met.

In addition to governing Utila, he owns a small dive shop and hotel and is also a real estate entrepreneur. Before that he was a mate on a seismic vessel. "I've been around, done my stuff," he explains in his lilting accent which stretches his words into peaks and valleys. He strokes his forearms as if reassuring himself that the adventurous blood of his ancestors still flows through his veins.

Joseph Cooper, the first Utilian settler, was originally a planter from Grand Cayman. Farming life had become difficult in the Caymans

Once kilómetros y medio de largo, cinco kilómetros de ancho; el punto más alto de la isla se encuentra a noventa y un metros sobre el nivel del mar.

Alton Cooper habla con orgullo, con una reverencia casi bíblica como si hablase del Génesis, al trazar su linaje remontándose a los primeros ingleses que llegaron a Utila. "Primero llegó Joseph Cooper, quien tuvo un hijo llamado James; este tuvo a Elijah, y este a W. Foster, y luego nació Foster Jr., luego Jernigan, y después vine yo, que tengo un hijo, A. J.". Cuando conocimos al alcalde de Utila, Alton Cooper, desempeñaba dicho cargo desde hacía tres meses.

Además de administrar Utila, es dueño de un pequeño hotel y una escuela de buceo, y es empresario de bienes raíces. Antes de eso, fue timonel a bordo de un navío de investigaciones sísmicas. "He andado por todos lados, he hecho de todo", explica en su acento rítmico en el cual las palabras parecen estirarse en picos y valles. Se frota el antebrazo como confirmando que la sangre aventurera de sus antepasados todavía corre por sus venas.

Utila, AV

149

because crops such as cotton had depleted the islands' soil, and when the British abolished slavery in their colonies in 1833, the Cayman planters realized they could no longer compete with the southern United States that still had rich soil and slaves. Seeking a better life, Joseph, his wife, and six children came to Utila in 1836 after receiving a grant issuing them permission to establish themselves permanently in the Bay Islands.

Utila, the smallest of the three principal Bay Islands, is closest to mainland Honduras, and from the west looms the distant outline of Pico Bonito, the peak that stands sentinel over the town of La Ceiba. It is believed that low-lying Utila, surrounded by barrier reefs and sandy harbors, was once a coral atoll and the island's underwater caves suggest a volcanic origin. The heart of the island is composed of 80% mangrove swamps with limestone ridges that culminate into the 300 ft. Pumpkin Hill in the northeast. The foothill caves of this dormant volcanic cone are reportedly honeycombed with pirate treasure and from the air the green expanse of Utila beacons with the guise of a deserted island.

At the time Joseph Cooper established himself on Utila, there were no other permanent settlers, only groups of Belizean and Cayman sailors who came intermittently to harvest the island's coconuts, papaya, and other native fruit. But it wasn't until the years of 1857-1876 that fruit cultivation became a major industry in Utila. Banana plantations flourished and thatch log-houses cropped up on the hills nearby East Harbour. As the inhabitants prospered, they filled lots and constructed pine and shingle cottages along the seashore. However, a hurricane in 1877 razed most plantations, and increased competition from mainland cultivation put an abrupt end to Utila's fruit industry.

El primer colonizador de Utila, Joseph Cooper, fue un hacendado que llegó de Islas Caimán. La agricultura se había vuelto difícil en estas islas, ya que los cultivos como el del algodón habían empobrecido el suelo; y cuando los ingleses, en 1833, abolieron la esclavitud en sus colonias, los hacendados de Caimán se dieron cuenta de que no podrían competir con los estados sureños de los Estados Unidos que todavía tenían ricos suelos y esclavos. Buscando una vida mejor, Joseph, su esposa y seis hijos llegaron a Utila en 1836, al serle otorgada una concesión por parte de la corona británica que les permitía establecerse permanentemente en Islas de la Bahía.

Utila, la más pequeña de las tres islas principales del archipiélago, es la más cercana a tierra firme de Honduras, y desde el occidente se vislumbra en el horizonte el lejano Pico Bonito, la montaña más alta que sirve de centinela a la ciudad de La Ceiba. Se cree que Utila fue un atolón, debido a su poca altura y por estar rodeada de arrecifes y bahías arenosas, y sus cuevas submarinas parecen confirmar su origen volcánico. El corazón de la isla está formado en un 80% por manglares con arrecifes de piedra caliza que culminan en la altura de noventa y un metros en Pumpkin Hill al nordeste. Cuentan los habitantes que las cuevas al pie de este cono volcánico extinto se encontraban grandes cantidades de tesoros de piratas. Desde el aire, la verdosa extensión de Utila luce engañosamente como una isla desierta.

En la época en que Joseph Cooper se estableció en Utila, no había colonos permanentes, solo pequeños grupos de beliceños y marineros de las Islas Caimán que llegaban ocasionalmente a cosechar los cocos, papayas y otras frutas nativas. Fue de 1857 a 1876 cuando el cultivo de frutas

Although the plantations became overgrown with wild brush, the community of East Harbour continues to thrive. The town's singular street, which runs along the harbor and between Upper Lagoon and Lower Lagoon, is populated with dive shops, family-run hotels, restaurants, bars, and brightly painted houses trimmed with gingerbread fretwork. With the exception of the handful of cars that exist on the island, Utila's main fairway is a pedestrian road, zigzagged by bicycles and ATVs.

After the decline of fruit production, Utilians turned their visions seaward and became renowned as merchant sailors and commercial shipbuilders. Described as "yacht-like, open boats of four or five tons" (Davidson page 98), most Utilian-built boats were used to transport goods from the mainland; however, the Bay Islands shipbuilding industry became world-famous in the early 1900's when the Cooper shipyard in Oak Ridge, Roatan produced the 300-ton, three-masted sailboat named Rubicon, one of the largest boats ever built in Central America.

Many Utilians worked as mates and captains on European and American freighters, and it is said that crewmembers of a Norwegian ship company launched the 1980's tourist boom. Two sailors reportedly heard their Utilian mates boasting about the island's kaleidoscopic reefs that teemed with marine life, spurring them to visit this undiscovered paradise themselves. After witnessing the virgin reefs thriving with black coral, green turtles, spotted eagle rays, and titanic barrel sponges, the Norwegian sailors returned from their trip to spread the news. Soon European backpackers and scuba divers flocked to the island.

Over the years, Utila has become renowned as one of the least expensive places to earn your

se volvió una industria importante en Utila. Las plantaciones bananeras florecieron, y las cabañas de madera y techo de paja comenzaron a subir por las colinas. Los habitantes, al prosperar, construyeron cabañas de pino y tablones a lo largo de la costa. Sin embargo, en 1877, un huracán arrasó la mayoría de las plantaciones y esto, además del aumento del cultivo de bananos en tierra firme que creó competencia, puso un repentino final a la industria de las frutas en Utila.

Aunque las plantaciones se recubrieron de maleza, la comunidad de East Harbor continúa prosperando. La única calle del pueblo que corre desde la bahía hasta Upper Lagoon y Lower Lagoon está poblada de tiendas de buceo, hostales familiares, restaurantes, bares y casas pintadas de brillantes colores con aleros de madera tallados como encaje. Con la excepción de unos cuantos automóviles que existen en la isla, esta única calle es peatonal, zigzagueada ocasionalmente por bicicletas y cuadrimotos.

Al declinar la producción de fruta, los habitantes de Utila se tornaron hacia el mar y se convirtieron en renombrados marinos mercantes y constructores de barcos comerciales. Descritos como "tipo yate, barcos abiertos de cuatro a cinco toneladas" (Davidson p.98), la mayoría de los barcos construidos por los habitantes de Utila se utilizan para transportar mercaderías desde tierra firme. Sin embargo, los astilleros de Islas de la Bahía se hicieron famosos en el mundo entero cuando, en el año 1900, el astillero de Cooper en Oak Ridge, en Roatán, construyó el velero de tres mástiles y trescientas toneladas, llamado "Rubicón", uno de los barcos más grandes que se han construido en Centroamérica.

Muchos de los nativos de Utila trabajaban como timoneles y capitanes de cargueros

open-water dive certification, and local hotels cater to the budget traveler. Many locals have converted their homes into guesthouses that rent rooms at an average $10-12 a night. The rooms, although rustic and spartan—a private bathroom and ceiling fan are coveted luxuries—are ideal for a traveler whose primary interests are exploring the reefs and rooting his toes in the warm sand.

These sunburned European and American travelers see their accommodations merely as nightfall roosts, and their priorities are adventure, not pampering. The town locals are content with the backpacker traffic that frequents the island since it channels money throughout the island's hotels, cafes, and dive shops, allowing the entire island to benefit, unlike resort travelers who purchase an all-inclusive vacation at one of the island's exclusive resorts. Since most families still live in the second stories of the guesthouses—usually the wife and daughters tend to the hotel while the husband and sons run the dive shop—this also adds to the friendly and quaint atmosphere of the guesthouses that lures travelers for return visits.

In addition to the world-famous reef that rings the island, Utila also boasts other attractions. Trophy-seeking fishermen troll offshore for the island's plentiful marlin, sailfish, dolphin, wahoo, and tuna, while light-tackle fishermen prowl the flats for bonefish, tarpon, snapper and snook. Because the island balances at the edge of the 10,000-feet deep Cayman Trench, this transition between shallow and deep waters creates a perfect environment for the world's largest fish, the whale shark. Divers often spot these mammoth creatures gliding close to the reefs, filtering the sea for plankton.

At dawn, kayakers make their way through the Cross Island Canal and explore the mangrove-

americanos y europeos, y se dice que fue la tripulación de una compañía naviera noruega quien causó el auge turístico en 1980. Se cuenta que dos marineros escucharon a dos timoneles de Utila que exaltaban las maravillas caleidoscópicas de los arrecifes de la isla, los cuales rebosaban de vida marina; ello acicateó su interés por ver personalmente ese paraíso. Después de visitar los arrecifes vírgenes repletos de coral negro, tortugas verdes, rayas y titánicas esponjas de barril, los marineros noruegos regresaron de su viaje a propalar las novedades. Muy pronto, "backpackers" europeos y buceadores invadieron la isla.

A través de los años, Utila ha adquirido renombre como uno de los lugares más baratos para lograr la licencia de buceo, y los pequeños hoteles se especializan en turistas viajando con un limitado presupuesto. Muchos lugareños han convertido sus casas en pensiones, en las cuales alquilan habitaciones por diez o doce dólares la noche. Las habitaciones, aunque rústicas y sencillas (un baño privado y ventiladores de techo son lujos muy cotizados), son ideales para el viajero cuyo interés principal es explorar los arrecifes o hincar sus dedos en la tibia arena.

Estos tostados turistas europeos y americanos ven sus alojamientos únicamente como un lugar donde pasar la noche, y su prioridad es la aventura, no las comodidades. Los pobladores locales se contentan con el tráfico de los mochileros que frecuentan la isla, ya que este tipo de turismo permite que se canalice el dinero a través de los hoteles, bares, tiendas de buceo, de lo cual se beneficia la isla entera, al contrario que con los turistas que llegan con todo sus gastos prepagados para su vacación en un exclusivo "resort" de alguna de las otras islas. La mayoría de las familias aún vive

Utila, AV

lined waterways that meander through the inlets and white beaches of Utila's north shore. As the sun rims the horizon, roseate terns lift from the treetops of Raggedy Key, and in a sudden cacophony of flapping wings, the birds streak across the violet sky. After an hour's walk on Monkey Tail road, hikers scale the summit of Pumpkin Hill, and the panoramic green mantle of the island spreads before them. Deep inside the throat of Brandon Hill Cave, curiosity-seekers explore nooks and crannies in the hopes of discovering legendary pirate treasure as the endangered black spiny iguana (locally called "wishy-willie") lounges on the sun-warmed rocks, offering reptile-lovers prime photo opportunities.

In the afternoons, rental boats ferry visitors to the keys that surround the southwestern tip of the island. The larger keys, Pigeon and Suc Suc Key, are nestled with stilt-houses, while privately owned keys such as Bells Key, Sandy Key, and Morgan Key are studded with larger homes. Other keys are un-inhabited and offer tourists a castaway experience. Many come to the secluded beaches of Water Key just to witness the sunset or opt to camp overnight and take advantage of the great snorkeling off the windward side of the key.

Although Utila entices travelers as a pleasure spot with inexpensive accommodations, tourists are also intrigued by the island's mysterious history. Mounds of buried pottery shards, clam shells, and human bones trace back to the island's indigenous inhabitants, and local findings of glass bottles date back to pirate times. But unique to the rest of the Bay Islands' history, several islanders cling stead-fastly to a legend that claims the real Robinson Crusoe was, in fact, marooned on Utila. Ballast stones said to be from Crusoe's ship have been found near the Lower Lagoon, and it is believed that

en el segundo piso de sus casas de huéspedes— usualmente la esposa e hijas atienden el hotel, mientras que el marido e hijos manejan el negocio de buceo—; esto añade el ambiente hospitalario y familiar de los hostales, lo que invita a los viajeros a regresar.

Además del mundialmente famoso arrecife que rodea la isla, Utila se enorgullece de sus otras atracciones. Los pescadores amantes de los trofeos pescan en las aguas profundas donde se encuentra la fosa de Caimán, peces vela, delfines, "wahoo", y atún, mientras que los pescadores con aparejos de pesca ligera merodean en las aguas poco profundas buscando macabíes, róbalos, sábalos real y pargos. Ya que la isla se balancea al extremo de un cañón de tres mil metros de profundidad que corre desde Islas Caimán, esto hace que la transición entre las aguas poco profundas y las profundas provea un ambiente perfecto para los peces más grandes del mundo: los tiburones ballena. Los buzos muchas veces observan a estas criaturas gigantescas deslizándose cerca de los arrecifes, filtrando el agua para alimentarse del plancton.

Al amanecer, los excursionistas en "kayaks" buscan su camino en el canal que atraviesa la isla y exploran los canales colmados de manglares que serpentean las ensenadas y las blancas playas del norte de la isla. Y cuando el sol bordea el horizonte, las rosadas garzas se levantan desde las copas de los árboles de Raggedy Key y, en una súbita cacofonía de alas plegándose, los pájaros cruzan el cielo violeta. Después de una hora de camino desde la calle de Monkey Road, los excursionistas escalan la cima de Pumpkin Hill y ante ellos se extiende el panorámico verde manto de la isla. Dentro de la profundidad de la cueva de Brandon Hill, los

he built his abode in a flatland next to a limestone cliff on the east end of the same lagoon. Islanders claim he grew his sugarcane, tobacco, and limes in a nearby plantation. Today, the only landmark is a gleaming white Methodist church trimmed in dark green and redolent with the scent of polished wood and candle wax.

Drawn to the laid-back atmosphere of Utila, many Europeans and Americans spend 3-4 months on the island in a privately owned or rented second home. Others who retire permanently to Utila confess they initially planned on staying a mere 5 days but were enchanted by the small-town feeling or were charmed by the smile of a fellow traveler, ultimately deciding to give up their tenure-track teaching job in California or renounce their promotion to a corner office in a NYC high-rise. Now they are island restaurant owners or dive masters, and their most important appointment is the daily viewing of the sunset.

These eccentric cafes, bars, and shops decorated with carved mahogany seahorses, pirate bottles, old coins, and postcards reflect their owners' new values. Awakening in their small wooden houses among banana trees and ripening mango, each day is a blessing.

While retirees and tourists have encouraged the island to grow with low-impact development, other island newcomers have inadvertently posed a serious problem. Utila, which is just a 2-hour boat ride from La Ceiba, has lured Honduran mainlanders in search of employment. Because two-thirds of the island is marsh, these impoverished immigrants encountered housing difficulties, as good, solid land in Utila is expensive. And although the land is inadequate for the numbers of immigrants flooding the island, in their steadfast determination to survive,

curiosos exploran huecos y recovecos con la esperanza de encontrar legendarios tesoros de los piratas, mientras que la negra y espinosa iguana (llamada localmente "wishy-willie") en peligro de extinción se asolea en las tibias rocas, ofreciendo a los amantes de los reptiles la oportunidad única para fotografiarlas.

Por las tardes, los botes de alquiler trasladan a los visitantes a los cayos que rodean la punta sur de la isla. Los cayos más grandes, Pigeon y Suc Suc Key, están tapizados de casas sobre pilotes, mientras que los cayos privados, tales como Bells Key, Sandy Key y Morgan Key, están engarzados de grandes casas veraniegas. Otros cayos están deshabitados y ofrecen a los turistas la oportunidad de encontrarse como en un naufragio. Muchos llegan a las escondidas playas de Water Key únicamente para observar la puesta de sol o para acampar por la noche y aprovechar el excelente "snorkeling" del lado de barlovento en la isla.

Aunque Utila atrae a los viajeros como un lugar placentero con alojamiento económico, los turistas se sienten intrigados por la historia de esta isla misteriosa. Los montículos con entierros de piezas de cerámica, conchas y huesos humanos datan desde los primeros habitantes indígenas de la isla, y se han descubierto botellones de vidrio provenientes de la época de los piratas. Pero algo único, diferente al resto de la historia de Islas de la Bahía, es la leyenda que cuentan varios isleños, según la cual el verdadero Robinson Crusoe naufragó en Utila. Se han encontrado piedras de balastro, que se dicen eran del barco de Robinson Crusoe, en las cercanías del Lower Lagoon, y se cree que construyó su morada en una planicie al lado de un risco de piedra caliza en la punta este de la misma ensenada. Los isleños aseguran que

they have ravished the beaches for landfill and razed forests to use as pilings. The immigrants' future is uncertain. Each morning, an old mainlander in a wide-brimmed hat hauls a crate loaded with bananas and cassava down Utila's main road hoping to earn his daily bread.

Although Utilians are preoccupied with the delicate ecosystem and the possible devastation of the reefs, the locals realize that their island is following in the footsteps of Roatan by becoming more international. However, their immediate goals do not include the building of a new hospital, new airport, or new dock, rather, they'd like to take what Utila has and make it better. They intend to beautify the island by creating fines for littering, constructing a new garbage dump, repairing fences, and painting houses.

The colorful porches and roof trims of Utila's traditional Caribbean-style homes stand as a symbol for all Utilians. Unlike most people on the other Bay Islands who make their fortunes off of diving or fishing and leave, Utilans tend to stay in their island homes. Looking back to his descendant's footsteps, Mayor Cooper has no doubt about his son's destiny. A.J. will earn a bilingual education in Utila until he's 18 years old, and from there he'll go to college in the United States or Great Britain and will then come back to work and live in Utila.

As Utilians share their lives in a town with a single paved street, or clustered in a Key home, they are both attracted to the sense of community and the isolation an island provides from the rest of the world. Proud of their history and comfortable with a simple, quiet life, present-day Utilians have a firm grasp on their unique identities. Standing at his doorway, Alton looks over at his blue-eyed and sunburned son lazing in the shade of the porch. He

cultivó caña de azúcar, tabaco y limones en un sembradío cercano. Ahora, lo único que existe allí es una blanquísima iglesia metodista antigua, con contraventanas en verde oscuro, olorosa a madera pulida y a la cera de velas.

Atraídos por el ambiente tranquilo de Utila, muchos europeos y americanos pasan tres o cuatro meses en la isla en una casa privada o alquilada. Otros se retiran a vivir en Utila, confesando que, al principio, llegaron por unos cinco días, pero se fascinaron con el ambiente de lugar pequeño o la sonrisa de un compañero de viaje, decidiendo dejar su posición como profesor universitario en California o renunciando a una alta promoción en la oficina de una rascacielos en Nueva York. Ahora, son dueños de restaurantes o profesores de buceo, y su compromiso más importante es contemplar diariamente el atardecer.

Los excéntricos cafés, bares y tiendas decorados con caballitos de mar tallados en caoba, botellones de piratas, antiguas monedas y postales reflejan los nuevos valores de sus dueños. Al despertar por la mañana en sus pequeñas casas de madera entre bananeros y árboles de mango, bendicen cada día de su vida.

Mientras los habitantes que se han venido a vivir aquí a raíz de su jubilación y los turistas han estimulado el desarrollo de la isla con un impacto moderado, otros recién llegados han creado un problema inadvertido. Utila, que está a solo dos horas de La Ceiba en un viaje por bote, ha atraído a los hondureños de tierra adentro en busca de empleo. Como las dos terceras partes de la isla son pantanosas, para estos empobrecidos inmigrantes es difícil encontrar alojamiento, ya que las buenas tierras en Utila son muy caras. Y aunque no existe la disponibilidad de tierras para el número de

looks beyond the weaving traffic of bicycles and pedestrians, until his eyes finally rest on the reef's blue seam. "My grandfather and great grandfather had another mentality," he explains. "They were British. But my dad and me and my son, we're different. When our country's team loses a match, we're sick. We're very much Honduran."

inmigrantes que siguen llegando a la isla, en su agresiva determinación de sobrevivir, estos han arrasado las playas para usar la arena y rocas como material de relleno y han talado los bosques para hacer pilotes. El futuro de los inmigrantes es incierto. Cada mañana, un viejo isleño cubierto con un sombrero de ala ancha acarrea una jaba con bananos y yuca por la calle principal de Utila en la esperanza de ganar su sustento diario.

Aunque a los habitantes de la isla les preocupa el delicado balance del ecosistema y la posible devastación de los arrecifes, se dan cuenta de que Utila está siguiendo los pasos de Roatán al atraer más turismo internacional. Sin embargo, sus metas inmediatas no son el construir un nuevo hospital, aeropuerto o muelle, sino que tomar lo que ya tiene Utila y mejorarlo. Les gustaría embellecer la isla, multando a los que tiran basura y creando un nuevo basurero, reparando los cercos y pintando las casas.

Las coloridas verandas y los adornados aleros del tradicional estilo caribeño de las casas son un símbolo para todos los isleños. Contrariamente a los habitantes de las otras islas, que hacen sus fortunas del buceo y de la pesca, y al lograrla se van, la gente de Utila tiende a quedarse en sus hogares en la isla. Al mirar hacia atrás y contemplar los pasos de sus ancestros, el alcalde Cooper no duda del destino de su hijo. A. J. tendrá una educación bilingüe en Utila hasta la edad de dieciocho años, y luego irá a la universidad, ya sea en Estados Unidos o en Inglaterra, para después regresar a trabajar y vivir en Utila.

Así como los nativos de Utila comparten sus vidas en un poblado con una sola calle pavimentada o apiñados en una casa en los cayos, se sienten igualmente atraídos por la sensación de comunidad

o el aislamiento que la isla les provee, del resto del mundo. Orgullosos de su historia y sintiéndose adaptados y cómodos llevando una vida sencilla y tranquila, los Utileños de esta época tienen un concepto muy firme de su identidad única. Parado en el dintel, Cooper observa a su bronceado hijo de ojos azules que haraganea en la veranda. Mira más allá del serpenteante tráfico de bicicletas y transeúntes, hasta que sus ojos descansan en el borde azul de los arrecifes. "Mi abuelo y mi bisabuelo tenían otra mentalidad", nos explica. "Ellos eran ingleses, pero mi padre, mi hijo y yo somos diferentes. Cuando la selección de fútbol pierde un partido, nos enfermamos. Somos muy hondureños".

Utila, FT

Approach...

...westward... jewels scattered across a cerulean sea...

Utila, FT

Utila, FT

Utila, FT

Al acercarnos

...rumbo oeste...joyas esparcidas en un mar cerúleo...

Utila, FT

Utila, FT

Utila, FT

Utila, AV

Utila, AV

Utila, AV

Utila, AV

Utila, AV

Utila, FT

Utila, AV

Utila, FT

Utila, FT

Fretwork, Utila
Detalle arquitectónico del Caribe, Utila, FT

Utila, AV

Utila, AV

Utila, FT

...saphire, turquoise, lapis-lazuli
...zafiro, turquesa, lapislázuli

Utila, FT

Utila, FT

Utila, FT

Utila, FT

CAYOS COCHINOS AND OTHER CAYS
CAYOS COCHINOS Y OTROS CAYOS

Garifunas, AV

Eyes cast over the transparent blue that merges into a cloudless sky, you're reclining on a sandy dune beneath the shade of twin palms. Cool waves lap at your feet as you sip the nectar from a fresh coconut and ghost crabs fiddle along the shore. Steeled with Hemingway's ruggedness and buoyed by a Gauguin-like idealism, you imagine this as your paradise: a world undisturbed by human hands, devoid of modern-day problems, and representative of all we long for: escape, freedom, independence.

Zipping across the Honduran Caribbean in an opentop speedboat, you can still find such paradisiacal, uninhabited islands. Ringed by white sand beaches and pristine reefs, some of those islands are large enough to be enshrouded by forests while others are bare rock atolls, no larger than a bathtub.

Recostada en la arena, bajo la sombra de palmeras, sintiendo el movimiento de las olas jugando con tus piés, clavas tu vista en el horizonte y te maravillas del azul transparente de las aguas que se confunden con un cielo sin nubes. Entonces, rodeado de tanta belleza, descubres que has llegado a un paraíso y te identificas con el espíritu aventurero de Hemingway o con el idealismo de Gaughin cuando ellos encontraron sus propias islas. Cayos Cochinos representa lo que internamente todos deseamos: el escape hacia la libertad, hacia un mundo donde sólo existen las sensaciones.

Al deslizarnos en una lancha por el Mar Caribe hondureño, todavía podemos encontrar islas como estas, paradisíacas e inhabitadas. Anilladas por arena blanca y arrecifes cristalinos, algunas de estas islas son lo suficientemente grandes como para estar recubiertas de bosque primario, mientras que otras más pequeñas, no son más que atolones, algunos, del tamaño de una bañera.

MORAT AND BARBARETA

Morat is 1 mile long and 3/4 mile wide. Barbareta is 2 miles long and 1 mile wide, encompassing a total of 1,200 acres.

Easing past the lush mangroves of St. Helene off the eastern tip of Roatan, the hillcock of Morat rises from the crystalline sea. Like a puzzle piece of the lost Eden, the island thrives, verdant and virgin. Beyond Morat and surrounded by coral heads loom the tall green peaks of Barbareta.

Shrouded by a lush forest of ferns, mango, almendro, and coconut trees, Barbareta emanates an odor of over-ripened fruit and damp earth. Here, the turquoise sea washes into Pascual Bight where brown pelicans and shorebirds sun themselves on the lone promontory of Pelican Rock. Soft waves chase the land crabs that scuttle along the sandy shores of Half Moon Bay as a waving coconut garden fringes Long Bay. The sea combs the pristine sands of Jade Beach and flows into the caves and tunnels of Trunk Turtle Bay. The swirling patterns of the reef—alive with fan corals and sponges—fringe the sandy islets of the Pigeon Cays. Fishermen chasing schools of grouper set up camp here to salt and dry their catch in the sun. Above the ridge of Pear Tree Gully stands Indian Hill, a former Paya ceremonial site, where votives such as black obsidian, pottery, conch shells, and rings of stone were deliberately broken and sacrificed as offertories. Barbareta is crowned in nature's silence; one hears only the lull of the sea, tradewinds rushing through the treetops, and wild parrots chattering at sundown.

MORAT Y BARBARETA

Morat tiene un kilómetro y medio de largo y un y un cuarto kilómetro de ancho. Barbareta mide tres kilómetros de largo y uno y medio kilómetros de ancho, abarcando ambas un total de 685 hectáreas de extensión.

Después de dejar atrás los exuberantes manglares de St. Helene, al final de la punta este de Roatán, la loma de Morat se levanta en un mar cristalino. Como una pieza perdida del rompecabezas de un paraíso, la isla florece, virgen y verde. Mas alla de Morat, rodeada por macizos de coral, se asoman los altos picos verdes de Barbareta.

Envuelta por una vegetación prolífera, llena de helechos, mangos, almendros y cocoteros, Barbareta emana un olor a fruta madura y a tierra húmeda. Aquí, el mar turquesa baña a Pascual Bight donde los pelicanos y otros pájaros marinos se asolean en el solitario promontorio de Pelican Rock. Las suaves olas persiguen a los cangrejos que corren a lo largo de Half Moon Bay, mientras una ancha densa de cocoteros se mece en la brisa. El mar peina las blanquísimas arenas de Jade Beach y se precipita en las cuevas y túneles de Trunk Turtle Bay. Los arrecifes, caprichosos como serpentinas, estallan de vida marina, corales y esponjas bordeando las isletas arenosas de Pigeon Cays. En la cima de Pear Tree Gully se encuentra Indian Hill, un antiguo centro ceremonial Paya, donde los indios ofrendaban la negra obsidiana, conchas y anillos de piedra, los cuales quebraban antes de presentarselas a los dioses.

Barbareta esta coronada por el silencio de la naturaleza; interrumpido solamente por el murmullo del océano, el viento del mar como ráfagas en las copas de los árboles, y los loros salvajes parloteando en el atardecer.

CAYOS COCHINOS

Cayo Cochino Grande measures 412 acres and reaches an elevation of 473 feet. Cayo Cochino Pequeño measures 162.5 acres and reaches an elevation of 466 feet. The islands are separated by less than 1.1 miles of open water.

An evergreen oak forest blankets the high ridges of the Cayos Cochinos, and clustered in the upper branches of these oaks are bromeliads, orchids, and white tubular flowers that are a favorite of humming-birds. Wren songs thread through the canopy of gumbo limbo with its shiny red bark, and yellow warblers, doves, and woodpeckers hop to and from locustberry, croton, seagrape, and broad-leafed velvet trees. The forest floor is alive with soldier hermit crabs battling for territory and in the shade, agoutis feed on the nuts of the cohune palm. Roseate terns, blue herons, and magnificent frigate-birds roost along a shoreline punctuated by hibiscus, almendros, and thatch palms. Barrel cactus clings to the bare rock outcroppings on the cliffs as brown pelicans coast the warm breeze.

Although only 11 miles from the mainland, and visible from La Ceiba on a clear day, the Cayos Cochinos' flora and fauna is distinct from that found on mainland Honduras. Established as a biological reserve in 1993 by the Honduran government, the archipelago consists of 2 forested islands, 12 small sand cays and the surrounding coral reefs and seagrass beds. Because there has not been heavy or direct human impact in the area—the islands are inhabited only part of the year by the members of three Garifuna fishing villages: Rio Esteban, Nueva Armenia, and Sambo Creek—the Cayos Cochinos set an example for other young and developing islands. Dedicated to fishing and small-scale agriculture, these villagers live in rustic houses whose basic amenities do not include running water and electricity.

CAYOS COCHINOS

Cayo Cochino Grande mide ciento sesenta y cinco hectáreas y tiene una elevación de ciento cuarenta y dos metros. Cayo Cochino Pequeño mide sesenta hectáreas y alcanza una elevación de ciento cuarenta metros. Las islas estan separadas por menos de tres kilómetros de mar abierto.

Un bosque de verde profundo cobija las altas cumbres de Cayos Cochinos, y agrupadas en las altas ramas de cedros tropicales estan las bromelias, orquídeas y las blancas flores tubulares que son las favoritas de los colibríes. Los cantos de los zorzales atraviesan las cúpulas de los árboles "Indio Desnudo" (Gumbo limbo), su corteza despellejandose en reflejos cobrizos. En una explosión de vida, las currucas, palomas y pájaros carpinteros saltan de uno a otro "Locust Berry", uvas de mar, icacos y "Velvet Tree" de anchas hojas. El suelo del bosque bulle de enormes canegües (Soldier Hermit Crabs), defendiendo su territorio y en la sombra, las cotuzas se alimentan de semillas de las palmas de corozo. Garzas rosadas, magníficos fragatas marinas, azules garzas reales se aperchan a lo largo de la costa, punteada por hibiscus, almendros, palmeras y cactus adheridos a la roca, mientras los pelícanos flotan en la brisa.

Aunque están ubicadas a sólo 19 kilómetros de tierra firme, visibles desde La Ceiba en un dia despejado, la flora y la fauna de Cayos Cochinos es distinta de la que se encuentra en el territorio continental de Honduras. El archipiélago formado por dos islas forestadas, doce pequeños cayos arenosos y los arrecifes de coral con los bancos de vegetación marina que los rodea, fué designado como reserva biológica en 1993 por el Gobierno de Honduras.

Cayos Cochinos ha mantenido su ambiente límpido gracias a los esfuerzos de conservación del

Nestled in a valley that was a formerly a 10-acre pineapple plantation, the Cayos Cochinos' singular hotel boasts a restaurant and bar and provides basic accommodations in 10 stone cottages with mahogany decks slung with hammocks. Visitors can explore the fringing reefs and banks that are filled with unique and elusive marine life such as nudibranches, seahorses, frog-fish and bat fish; kayak the bay; or hike the trails to the panoramic 140-meter peak or along the north shore to the lighthouse.

The Cayos Cochinos have their maintained its pristine environment thanks to the conservation efforts of the Smithsonian Institute that runs the Cayos Cochinos Biological Reserve, one of the largest marine research centers in the western Caribbean and situated on Cayo Cochino Grande. The Smithsonian team, in addition to surveying all the marine and terrestrial flora and fauna, is also responsible for the ongoing challenge of managing and protecting the natural resources of the 180 square mile reserve. Park rangers regularly patrol the reserve and uphold the strict regulations established by the Honduran Government. Anchoring off the reefs is prohibited—visiting boats must use specified moorings—only hand-and-line subsistence fishing is permitted and conch and lobster may be caught only during specified seasons. Owners of private residences and the island's only diving resort are required to conduct environmental-impact studies and obtain the proper permits from the Honduran Government before improving or adding to their facilities.

But the duties of the biological reserve staff are not limited to scientific research and law-enforcement; they also work hard to establish diplomatic relations with the Garifuna people.

Instituto Smithsonian que dirige la Reserva Biológica ubicada en Cayo Cochino Grande. Este instituto ha establecido uno de los centros de investigación marina más extenso del Caribe Occidental. Ellos, además de estudiar y analizar toda la flora y fauna acuática y terrestre, son también responsables de administrar y proteger los recursos naturales de los cuatrocientos sesenta kilómetros cuadrados de la Reserva. Los guardaparques patrullan ésta constantemente e implementan las estrictas regulaciones establecidas por el Gobierno de Honduras. Por ejemplo, está prohibido anclar en los arrecifes y los barcos visitantes deben usar determinadas boyas; sólo se permite la pesca con anzuelo, eliminando asi la pesca comercial; y el caracol y la langosta están protegidos por temporadas de veda.

En la temporada de pesca, los habitantes de tres aldeas garifunas aledañas a La Ceiba, San Esteban, Armenia y Sambo Creek se aventuran a Cayos Cochinos y se instalan en pequeñas comunidades. Estos pobladores se dedican a la pesca y la agricultura artesanal y viven en casas rústicas techadas con palmeras, careciendo de electricidad y agua potable. Su sencillo estilo de vida no destruye el ambiente virgen que lo rodea.

Anidado en un valle que en una época fue una plantación de piña de veinticinco hectáreas, se encuentra el único hotel de Cayos Cochinos. Este se enorgullece de su restaurante y bar y da alojamiento a los esporádicos turistas en diez cabañas construidas de piedra, con terrazas de madera de caoba cruzadas por hamacas. Los visitantes pueden explorar los arrecifes y bancos de arena habitados por una abundante vida marina. Aquí pueden encontrar una diversidad de flora y fauna, tales como el "flamingo tongue" y los elusivos

Croton
Croto, FT

Regular meetings are held to discuss the development of the Garifuna communities and initiate programs to improve local schools that on average are limited to 3rd grade. Grants have allowed the addition of such improvements as solar-energy generators, water-storage tanks, and sewage treatment facilities. Members of the Smithsonian Institute provide education on protecting the marine life and promote conservation by providing useful tips such as how to make a charcoal briquette from coconut debris, rather than cut down forests to use as firewood. The vast majority of the Garifuna have embraced the research center's environmental projects and some actively participate in island's conservation by working as naturalists and park rangers within the reserve.

Aware of the Garifunas' needs and the growing tourism industry, the Smithsonian team supports the sustainable development of the islands; and in the island's future, it forsees strongly regulated ecotourism and sea-farming ventures operated by and for the Garifuna people. Isolated, wild, and immersed in the silence of nature, islands such as the Cayos Cochinos bewitch our imaginations; they seduce us with the ideal of a tropical haven and encourage reflection. Isolated and green, these islands, set against a seamless horizon of atmospheric blues, stand as a monument of what could be, of what was, of what still remains.

y tímidos caballitos de mar, nudibranquios y pez sapo. Pueden también remar en "kayak" en la bahía, subir por los senderos hasta el panorámico pico de ciento cuarenta métros de altura, o caminar por la playa norte hacia el faro.

El otro lado de Cayo Cochino Grande tiene unas pocas residencias privadas y un resort de buceo. Todos los que habitan estas islas, deben observar los reglamentos para la conservación del medio ambiente incluyendo códigos de construcción o remodelación en las propiedades.

Sin embargo, las obligaciones del equipo de la reserva biológica no se limitan a la investigación científica y a aplicar las leyes; también trabajan constantemente en mantener un estrecho contacto con la población garífuna. Ellos organizan reuniones regulares en la cual se discute el desarollo de las comunidades, inician programas para el mejoramiento de las escuelas locales, (que normalmente sólo llegan al 3er. Grado), buscan proyectos como el instalar generadores de energía solar, tanques de almacenamiento de agua, y plantas para el tratamiento de aguas negras.

Los miembros del Instituto Smithsonian educan a la comunidad sobre la protección de la vida marítima, y promueven su conservación compartiendo conocimientos tales como el fabricar carbón con el deshecho del coco, evitando asi la tala de árboles. La mayoría garífuna ha adoptado los proyectos del centro de investigación y algunos de ellos participan activamente en la conservación de la isla trabajando como naturalistas o guardaparques dentro de la reserva.

Conscientes de las necesidades de los garífunas y de la creciente industria del turismo, el equipo del Smithsonian apoya el desarrollo sostenible de la islas, y en el futuro, ellos visualizan

un ecoturismo fuertemente regulado y la implementación de cultivos marinos operados por y para los garífuna.

Aisladas, salvajes e inmersas en el silencio de la naturaleza, islas como Cayos Cochinos subyugan nuestra imaginación; nos seducen con el ideal de un paraíso tropical y nos invitan a reflexionar. Inquietantes, verdes, estas islas colocadas en el horizonte de un azul sin límites, se yerguen como un monumento a lo que podría ser, lo que fué o lo que todavía queda.

Yellow naped Amazon Parrot, native bird of the Bay Islands
Loro Amazónico Cuello Amarillo, nativo de Islas de la Bahía, FT

Approach...

...southbound, closer to the mainland...untouched islands flooded with green...

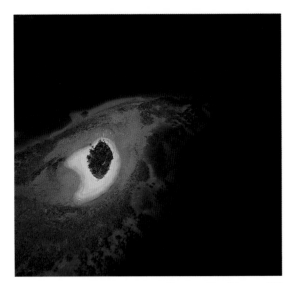

Cayos Cochinos, FT

Cayos Cochinos, FT

Cayos Cochinos, FT

Al acercarnos

.....rumbo sur, cerca de tierra firme...islas vírgenes inundadas de verde...

Amazon Parrots
Loros Amazónicos, FT

Wishy Willie
Iguana, FT

Catch of the day
Pesca del día, AV

Palm shadow
Sombra de palmera, AV

...at journey's end...

...al final del viaje...

Cayos Cochinos, FT

Cayos Cochinos, FT

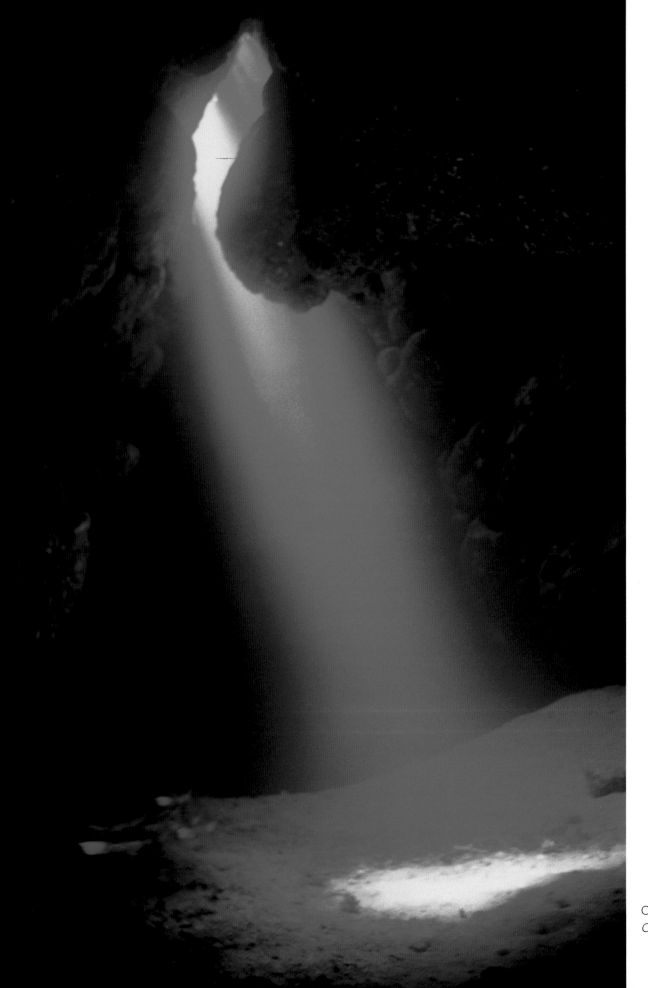

Cave
Cueva, AKR

THE SECOND LARGEST BARRIER REEF IN THE WORLD
EL SEGUNDO ARRECIFE MÁS GRANDE DEL MUNDO

Yellow Boring Sponge
Esponja Perforadora Amarilla, RC

Perched on the edge of the Honduran continental shelf that plunges into the Cayman Trench, the Bay Islands are surrounded by a variegated undersea terrain of fissured ridges, steep cliffs, ledges, tunnels, and swim-through caves. Sculpted by tectonic forces millions of years ago, these coral reefs have always been the islands' main draw, not only for today's divers and snorkelers but for the pirates that centuries ago used the labyrinthine reefs as a natural fortress. In addition to the carnival of tropical fish that populate this coralline landscape are the Bay Island hallmarks: forests of rare black coral, grape-like clusters of bluebell tunicates, gargantuan whale sharks, and the world's largest variety of coral pillars. This unique coral ecosystem also feeds and sustains the marine life that composes the Bay Islands' strong fishing and shrimping industries. Many of the reefs are protected as national parks, and all of the dive sites provide mooring buoys to protect the delicate corals from anchor damage.

Considered one of the world's best diving spots, the underwater

Situado al filo de la plataforma continental de Honduras que se precipita en la fosa de Caimán, Islas de la Bahía está rodeada de un terreno submarino de una increíble diversidad, salpicado de cadenas con profundas grietas y fisuras, inclinados riscos, salientes, túneles y cavernas tan grandes que se pueden nadar atravesándolas de un extremo a otro.

Esculpidas por las fuerzas tectónicas millones de años atrás, estos arrecifes de coral han sido siempre el mayor atractivo de las islas. No solamente para los amantes del buceo y del "snorkel", sino también por los piratas, quienes, siglos atrás, utilizaban estos laberínticos arrecifes como fortalezas naturales. Además del carnaval de color de los peces tropicales que pueblan este paisaje de coral, están las selvas de azules tunicates como gajos de uva de coral, el raro coral negro, los gigantescos tiburones ballenas y la variedad más grande de corales pilar. Todo esto hace que estos arrecifes sean algo único. Este excepcional ecosistema de coral alimenta también la vida marina, que es

visibility in the Bay Islands ranges between 80 and 100 feet and water temperatures average 75 to 85 degrees. Dive shops located on all three of the main islands provide rental of all the necessary diving equipment and offer inexpensive diver's certification courses that can be completed in a matter of days. In addition to hosting to the Institute of Marine Science, Anthony's Key Resort in Roatan also boasts a professionally maintained decompression chamber.

ROATAN: North Shore

Blue Channel

A 30-foot channel that parallels the shore and cuts into 2 deeper walls. The reef is perforated by narrow passages inhabited by masses of silversides, moray eels, and enormous grouper. The crevice walls surge with undulating sea fans and sponges.

Hole in the Wall

Caves and chutes are the dive's main attraction. A dramatic 30-ft wide hole opens at the top of a 45-foot wall and slopes into a sheer cliff of 140 feet. You can easily spot barracuda, grouper, hawksbill turtles and spotted eagle rays and perhaps catch a glimpse of the timid and slender-bodied filefish.

Canyon Reef

A dramatic series of terraces, ravines, and zigzagging tunnels shapes this reef. Although the unique terrain is the main draw, you can also spot tangs, snappers, and grunts as well as picturesque towers of pillar coral on the reef's shallow shelf. Eagle rays and pufferfish coast along the ridge of the drop-off.

Peter's Place

This coral terrace is home to a variety of friendly and colorful fish. Black durgons and sea fans populate a mini-wall that rises 8 feet from the shore. Parrotfish, angelfish, and tangs congregate near the pillar coral

la base de la fuerte industria pesquera y camaronera de las islas.

Considerado uno de los mejores sitios del mundo para practicar el buceo, Islas de la Bahía tiene una visibilidad que oscila entre los veinte y treinta metros y la temperatura del agua se mantiene entre los 24°C y 26°C. Además de albergar al Instituto de Ciencias Marinas, Anthony's Key Resort, en Roatán, tambien está provisto de una cámara de descompresión.

ROATÁN: Playa Norte

Blue Channel

Canal de nueve metros que corre paralelo a la costa y se parte en dos paredes profundas. El arrecife está perforado por estrechos pasajes habitados por montones de catacuches, morenas y enormes meros. Las grietas en las paredes están vivas, llenas de ondulantes abanicos marinos y esponjas.

Hole in the Wall

El mayor atractivo de buceo son las cuevas y toboganes. Un dramático hueco de nueve metros de ancho se abre en la cima de una pared de catorce metros y desciende hasta un escarpado acantilado de cuarenta y cuatro metros. Se pueden ver fácilmente barracudas, meros, tortugas carey y rayas obispo estrellado y tal vez lograr un vistazo del furtivo y delgado pez trompeta.

Canyon Reef

Drámatica serie de terrazas, precipicios, y túneles zigzagueantes. La particularidad del terreno se considera su mayor atracción. Se pueden ver barberos azul, pargos y roncadores, lo mismo que pintorescas torres de corales pilar, en la poco profunda plataforma; rayas y timburiles nadan a lo largo de la caída de la plataforma.

along the deeper ledge. Grouper and green moray eels are constantly on the lookout for a fish treat. At night, a strobe vivifies the rainbow of elephant-ear sponges, barrel sponges, and gigantic purple vase sponges. Octopi and giant spider crabs are regularly spotted in sandy areas.

Bear's Den
This dive site is known for its honeycombed vertical coral wall, large underwater cave, and coral-lined tunnel that shimmers with reflected light and opens into a large, steep canyon. Large reef crabs, lobster, shrimp and black grouper like to hide in the cave's crevices.

ROATAN: South Shore

Prince Albert Wreck (Channel Shore)
Intact superstructure of a 140-foot island freighter that sank in the 1980's. Divers can safely swim in and out of the open deck hatches or observe the angelfish, blue parrotfish, and butterflyfish that feed on the soft coral and algae that quilt the ship's hull. A colony of garden eels and coral heads decorate the immediate surroundings of the freighter. Nearby is a sunken DC3 airplane with an intact fuselage.

Mary's Place
Roatan's most famous dive site; prehistoric volcanic activity created a fissure in the island shelf and formed an intricate labyrinth teeming with marine life. Loitering around the fissure entrances are yellowtail snapper, silversides, and horse-eye jacks. Large black grouper and jewfish dart in and out of the coral heads while nurse sharks snooze beneath ledges. Rope, azure vase, and orange elephant ear sponges are clustered along the wall and fairy basslets and bluehead wrasse play among the black coral and deep-water gorgonians.

Peter's Place
Terraza de coral que es la morada de una gran variedad de coloridos y curiosos peces. Negritos y abanicos de mar poblan una pequeña pared que se levanta a dos metros y medio de la playa. Los peces lora, peces ángel y barberos se congregan cerca del coral pilar a lo largo del saliente más profundo. Los meros y las anguilas verdes están constantemente al acecho de una buena presa. Por la noche, una luz estroboscópica revive el arco iris de las esponjas oreja de elefante y las gigantescas esponjas moradas. Pulpos y enormes cangrejos araña se encuentran en las áreas arenosas.

Bear's Den
Conocido por su pared vertical de coral, perforada como si fuese un panal, Bear's Den tiene una gran gruta oceánica y un túnel forrado de coral que brilla con la luz que se refleja y que abre a un grande y profundo cañón. Cangrejos de arrecife, langostas, camarones y meros negros se esconden en las grietas de las cuevas.

ROATÁN: South Shore

Prince Albert Wreck (Channel Shore)
La estructura intacta de cuarenta y dos metros, de un barco carguero de la isla que se hundió en los años ochenta, compone este sitio. Los buzos pueden entrar y salir sin peligro de las escotillas de cubierta, u observar el pez ángel, el pez lora y el pez mariposa de cuatro ojos, los cuales se alimentan del suave coral y de las algas que acolchonan el casco del barco. Una colonia de congrios de jardín y macizos de coral decoran los alrededores del carguero. Cerca, se encuentra un avión DC3 hundido, todavía con el fuselaje intacto.

Mary's Place
El lugar de buceo más famoso en Roatán. La

Enchanted Forest

This undulating ridge is located on a crest one half mile south of the reef in a 30-feet sandy patch. Forests of staghorn and pillar corals line the reef's lip while boulder corals form ledges and gorgonians dance in the current. At 55 feet black coral is abundant, and along the ridge's slopes, brittle stars, arrow crabs, and shrimp peek out from tube sponges. Divers regularly see schools of jacks, hogfish, blackcap basslets as well as sea turtles, queen and ocean triggerfish, and the occasional shark.

West End

Steep cliffs with mushroom-shaped peaks and ridges of pillar coral that taper into coral patches on sandy flats. Schools of grunts and snapper gather around gorgonians and sponges. A close look at brain coral could provide a glimpse of tube worms or lizardfish.

BARBARETA AND MORAT

Barbareta and Morat Wall

A pristine and isolated 3 mile reef populated by enormous sponges and gorgonians that runs parallel to the islands; the steep wall is punctuated by chutes and slides, overhangs and pinnacles. On overhangs below 80 feet, black coral grows abundantly and colonies of orange elephant ear sponges, basket and vase sponges, and rope and tube sponges form a dense jungle along the wall. Sightings of rainbow runners, filefish, and butterfly-fish are common, and because the reef faces the deep sea, sharks, spotted eagle rays, and large turtles can also be spotted.

Jade Beach

Shallow coral reef noted for a large crevice that is filled with invertebrates such as lobster, crabs, and shrimp as well as a series of caves and overhangs

actividad volcánica prehistórica creó una fisura en la plataforma de la isla que originó un intricado laberinto rebosante de vida marina. Deambulando en las entradas de esta fisura, se encuentran colirubias, catacuches y jureles. Inmensos meros negros y meros sapo se deslizan rápidamente en un ir y venir desde los macizos de coral, mientras los tiburones nodriza dormitan bajo las salientes del arrecife. Esponjas de una gran variedad, tales como las azules y las orejas de elefante, se agrupan a lo largo de la pared; delicados "grammas" y peces loro juegan entre el coral negro y las "gorgonians" de aguas profundas.

Enchanted Forest

Ondulante cadena localizada en una cresta a casi un kilómetro al sur del arrecife en un parche arenoso de nueve metros. Selvas de coral cuerno de venado y corales pilar bordean el labio del arrecife mientras los madreporas forman salientes y las "gorgonians" danzan en la corriente. A los diecisiete metros de profundidad, abunda el coral negro, y a lo largo de la cadena, frágiles estrellas de mar, cangrejos flecha y camarones se esconden en las esponjas tubícolas. Los buzos se encuentran frequentemente con bancos de jureles y "grammas" violeta, lo mismo que con tortugas marinas, peces gatillo reina, gatillo y el ocasional tiburón.

West End

Profundos precipicios con picos como hongos y cadenas de coral pilar que se estrechan en manchas de coral en los planos arenosos. Los bancos de roncadores y pargos se reúnen alrededor de "gorgonians" y esponjas. Un vistazo más al coral cerebro podría mostrarnos a los poliquetos tubícolas o a los peces lagartija.

that provide shelter for eels and octopus—all extremely active at night.

Trunk Turtle Wall
A light current makes for an excellent drift dive along the channels and steep walls of this coral ridge that surrounds the beach area.

Shark Point
Large schools of shark, barracuda, bonito, mantas, and grouper congregate along this 60 to 130 foot steep drop-off lined by hard corals.

Pigeon Cays
Three small cays surrounded by sandy banks and sea grass thriving with conch, sea biscuits, and rays. Angelfish, invertebrates, and clusters of large barrel sponges compose a lovely and diverse seascape.

GUANAJA: North Shore

The Pinnacle
This coral tower rises from the 140-deep seabed to within 60 feet of the surface. A zigzagging wall that leads to the pinnacle is laced with tunicates, sea fans, and unique sponges. Banded coral shrimp, spotted drum, and arrow crabs peek from the crevices and ledges. Schools of snapper and blue chromis gather around the soft corals while amiable grouper and yellowtail snapper seeking fish morsels regularly approach divers. Black coral is prolific below 80 feet.

Bayman Bay Drop
This 10 foot to 180 foot overhang is encrusted with azure vase sponges, red rope sponges, small tunicates, and deep-water gorgonians. Schools of creole wrasse and blue chromis patrol the lip of the dramatic drop-off. Following the curve of the first cut, divers can explore a cave lined by copper sweepers and coral formations. Angelfish and blue-head thread among the azure vase sponges and

BARBARETA Y MORAT

Barbareta y Morat Wall
Arrecife prístino y desolado, de un kilómetro y medio de extensión, que corre paralelo a las islas, poblado de enormes esponjas y "gorgonians". La profundamente inclinada pared está salpicada de toboganes y deslizaderos, salientes y pináculos. En los salientes de veinticuatro metros de profundidad, el coral negro crece en abundancia, y colonias de una enorme variedad de esponjas, anaranjadas orejas de elefante, tubícolas y canasta forman una espesa jungla a lo largo de la pared. Se ven frecuentemente salmones cubanos, peces trompeta y peces mariposa cuatro ojos. Ya que la pared exterior está frente a las aguas profundas, se observan tiburones, rayas e inmensas tortugas.

Jade Beach
Arrecife de coral poco profundo, notable por una gran hendidura que está repleta de crustáceos como cangrejos, langostas y camarones, lo mismo que por una serie de cuevas y salientes que proveen de refugio a anguilas y pulpos, todos ellos muy activos durante la noche.

Trunk Turtle Wall
Una corriente ligera provee un excelente medio para deslizarse buceando a lo largo de los canales y las profundas inclinaciones de esta cadena de coral que rodea las playas del área.

Shark Point
Grandes colonias de tiburones, barracudas, bonitos, rayas y meros se congregan a lo largo de esta profunda caída de ocho a treinta y nueve metros, bordeada de madreporas.

Pigeon Cays
Tres pequeños cayos rodeados de un banco de arena y pastos marinos, rebosantes de caracol,

Turtle Grass Anemone
Anemona, AM

deep-water gorgonians that thrive along the southern part of the wall. Eels, lobsters, and crabs congregate along the shallow upper ridge as filefish, trumpetfish, and butterflyfish carousel around the elkhorn and pillar corals.

The Pavillions

A sloping wall from 10 to 60 feet is filled with grottos, deep coral crevices, intricate passageways, and caverns. Although the topography of the reef is the most spectacular aspect of this dive, divers can also observe the schools of snappers and grunts that gather along the terraced ridges and the rays and nurse sharks that rest in sandy areas.

GUANAJA: South Shore

Jado Trader

This 240-foot sunken freighter blanketed with clams, sponges, and seafans and is inhabited by millions of silversides, shy horse-eye jacks, and attention-seeking grouper. Divers can explore the bridge and open holds or explore the coral-over-grown anchor and the wheelhouse. Angelfish, scrawled filefish, and other small tropical fish feed on the multi-colored corals.

Jim's Silverlode

A 150-foot wall leads to a 50-foot deep sand and coral ampitheater that functions as a fish-feeding station. Nassau, tiger, yellowfin, and black groupers seeking handouts persistently follow divers as yellowtail snapper, jacks, and creole wrasse watch from a distance. Rock hinds wait patiently at the ampitheater's entrance along with the occasional moray eel.

UTILA: North Shore

C.J.'s Drop-Off

A sheer wall plummets to a depth of over 1,000 feet. Although the main thrill here is the abyss-like fall,

galletas de mar, rayas, peces ángel, inverterbrados y gajos de esponjas barriletes.

GUANAJA: Playa Norte

The Pinnacle

Torre de coral que se levanta desde los cuarenta y dos metros en el fondo del mar hasta llegar a dieciocho metros de la superficie. La pared ondulante que lleva hacia el pináculo está bordada de tunicados, abanicos de coral y esponjas extra-ordinarias. Peces de coral, rayas obispo estrellado y cangrejos araña curiosean desde las grietas y salientes. Bancos de pargo y "cromis azul" se congregan alrededor de los suaves corales, mientras meros y pargos de cola amarilla, buscando alimento, se acercan a los buzos. El coral negro es abundante debajo de los veinticuatro metros de profundidad.

Bayman Bay Drop

Saliente de tres a cincuenta y cinco metros incrustado de una gran variedad de esponjas de color azul o rojo y de pequeños tunicados y "gorgonians" de aguas profundas. Bancos de limpiadores cabeza azul y "cromis azul" patrullan el borde de la dramática pendiente. Siguiendo la curva del primer corte, los buzos pueden explorar una cueva tapizada por limpiadores cobre y formaciones de coral. Los peces ángel y limpiadores cabeza azul se entrecruzan entre las esponjas azules y las "gorgonians" de agua profunda que proliferan en la parte sur de la pared oceánica. Las anguilas, cangrejos y langostas se reúnen a lo largo del poco profundo saliente superior, mientras los peces trompeta y peces mariposa cuatro ojos, giran entre los corales cuerno de venado y alce.

The Pavillions

Pared en declive de tres a once metros, con

there are also some hard coral, sponges, gorgonians, and reef fish along the top of the wall where there is more light.

Willy's Hole

A wall perched on the edge of the continental shelf that has rollercoaster drop-offs punctuated by pinnacles, coral heads, crevices, chutes, and a large cave situated at 70 feet. Ancient brain coral, elkhorn and staghorn coral, as well as pillar and star coral, are abundant. Flounder, conch, rays, jawfish, and cigarfish as well as deep-water gorgonians and a myriad of sponges are all found in the crevices.

Blackish Point

This vertical freefall set above a powder-white sand shelf reflects the brilliant colors of a steep coral reef honeycombed with crevices and caves. Grunts, goatfish, porcupinefish, and spotted drum inhabit the small ridge that runs parallel to the wall and is decorated with yellow and red rope coral.

UTILA: South Shore

Airport Reef

A coral ledge crowned with lettuce, staghorn, and elkhorn corals, where nurse sharks and eagle rays linger around sandy areas and turtles sometimes drift through the colony of garden eels. At night, moray eels and other less common varieties such as spotted and goldentail eels can be seen feeding along the rocks. In the caverns, squid, lobsters, and crabs retreat from their daytime hiding spots.

Silver Gardens

A vertical mini-wall studded with black coral, lettuce coral, elkhorn and staghorn coral, brain and starlet coral. Deep-water gorgonians, soft coral plumes and bluebell tunicates make this reef particularly vibrant. Eagle rays, squid, and nurse sharks are often spotted.

profundas grietas, cavernas, caprichosos pasillos y grutas. Aunque la topografía del arrecife es lo más espectacular de este sitio de buceo, los buzos también pueden observar los bancos de pargo y mero que se encuentran a lo largo de las terrazas de los riscos, y los tiburones nodriza que descansan en las áreas arenosas.

GUANAJA: South Shore

Jado Trader

Carguero hundido, de setenta y tres metros, cubierto de almejas, esponjas y abanicos de mar, habitado por millones de catacuches, tímidos jureles y meros que llaman la atención. Los buzos pueden explorar la cubierta y las escotillas abiertas, la timonera y el ancla cubierta de coral. El pez ángel, los peces trompeta y otros pequeños peces tropicales se alimentan de corales multicolores.

Jim's Silverlode

Pared oceánica de cuarenta y cinco metros, la cual desciende quince metros a un anfiteatro de arena y coral que funciona como una estación para alimentar a los peces. Las distintas variedades de mero criollo, arigua y negro persiguen insistentemente a los buzos para que éstos los alimenten, mientras, los jureles, pargos de cola amarilla y limpiadores criollo observan a la distancia. Los cabrillas esperan pacientemente a la entrada del anfiteatro junto a las ocasionales morenas.

UTILA: North Shore

CJ's Drop-Off

Escarpada pared oceánica que cae bruscamente a una profundidad de trescientos tres metros. Aunque la emoción más grande es el descenso al abismo, también hay madreporas, esponjas, "gorgonians" y peces a lo largo de la cima de la pared, que se vuelven más visibles cuando hay abundante luz.

CAYOS COCHINOS

Jana's Cove

A shallow dive site where a long sloping ridge runs perpendicular to the shore, the reef exhibits one of the largest colonies of pillar coral in the Cayos Cochinos. Flamingo tongues, glass shrimp, and tiny crabs that thrive among the anemones and purple sea fans are excellent for macro photography. At 35 feet a small wall drops to 70 feet; here, angelfish, butterflyfish, and scrawled filefish forage for food.

North Sand Cay Wall

The soft slope of the shoreline merges into a shelf drop that plummets to a depth of 75 feet. Brown soft corals, clams, and other shellfish are plentiful as well as flamingo tongues that cling to the swaying purple sea fans. Banded and purple shrimp flourish among the anemones growing on the ledges and overhangs.

Pelican Point

Paralleling the shoreline is this vertical wall dive that spans 15 to 100 feet with terraces of plate coral heavily populated by grouper, snapper, bar jacks and spotted drum. Staghorn, elkhorn, star, and brain coral flourish alongside a variety of sea fans and sponges.

Phoenix Reef

A sheltered dive site forested with staghorn and elkhorn coral, star and brain coral, and soft corals. The algae-rich rocks create a perfect environment for sea urchins and shellfish. Bristle worms, banded coral shrimp, anemones, tube worms, lobsters, and gobies make their homes along a 10-foot circular patch of coral. At night, octopus and puffers slink around the reef.

Willy's Hole

Pared enclavada en el filo de la plataforma continental, con caídas y subidas abruptas como las de una montaña rusa; está punteada por pináculos, macizos de coral, deslizaderos y una inmensa cueva ubicada a veintiún metros de profundidad. Son abundantes los antiquísimos corales cerebro, alce y cuerno de venado, lo mismo que los corales pilar y estrella. En las hendiduras, se encuentran lenguados, caracoles, rayas, guardianes y peces cigarro.

Blackish Point

Caída vertical ubicada en una plataforma de suave arena blanca que refleja los colores del escarpado arrecife de coral tapizado de grutas y cavernas. Roncadores, salmonetes, peces puercoespín y rayas obispo estrellado habitan en el pequeño arrecife que corre paralelo a la pared oceánica. La pared está cubierto de macizos de coral de color azul y rojo.

UTILA: South Shore

Airport Reef

Saliente de coral coronado de coral lechuga, alce y cuerno de venado. Los tiburones nodriza y las rayas reposan en las áreas arenosas y las tortugas ocasionalmente se deslizan entre las colonias de congrios de jardín. Por la noche, las morenas, y otras variedades menos conocidas, como las anguilas manchadas y colas doradas, se pueden observar alimentándose entre las rocas. En las cavernas, los calamares, langostas y cangrejos se refugian en sus escondrijos.

Silver Gardens

Pequeña pared vertical adornada por coral negro, coral lechuga, cuerno de venado y alce así como coral cerebro y coral estrella. "Gorgonians" de aguas profundas, suaves plumas de coral y

Plantation Beach

A gentle slope of metamorphic rock patched with grassy areas and inhabited by conch, shrimp, and a variety of juvenile fish. Damselfish, sergeant majors, angelfish, wrass, and butterflyfish explore the ledges while starfish, sea biscuits, sea urchins, and rays dwell in the shallow areas. Tubeworms, eels, and lobsters seek the protection of the small corals. Every now and then, divers spot an octopus feeding on conch.

The Wall

A large 15 feet to 130 feet wall pockmarked with deep ravines and canyons; a fast-moving west to east current can sometimes reach one knot. Mantled with star, brain, lettuce, elkhorn, and staghorn coral, the reef is a favorite of angelfish, rock beauties, tangs, bluerunners, parrotfish, and sea turtles. Sea fans and brown soft corals dance in the current. Observant divers spot elusive marine life such as sea horses, nudibranches, and purple tunicates. During night dives, basketstars bloom, red shrimp and large spider crabs peek from the coral, and octopus make their quick and rare appearances.

tunicados campanilla azul añaden más color al arrecife. Aquí, se observan rayas, calamares y tiburones nodriza.

CAYOS COCHINOS

Jana's Cove

Sitio en aguas profundas, en el cual se encuentra un largo arrecife que corre perpendicularmente a la playa y posee una de las colonias del coral pilar más grandes de Cayos Cochinos. Los "flamingo tongue", el camarón vidrio y pequeños cangrejitos que viven entre las anémonas y los morados corales de abanico son el tema perfecto para la macrofotografía. A los once metros, una pequeña pared desciende hasta los veintiún metros de profundidad, donde los peces ángel, peces mariposa cuatro ojos y peces trompeta buscan su alimento.

North Sand Cave Wall

La suave pendiente de la playa se funde con una saliente que se desploma a una profundidad de veintitrés metros. Son muy abundantes los abanicos de color café, almejas y otros moluscos, lo mismo que los "flamingo tongue". Los oscilantes abanicos morados de coral. Los camarones de coral y los camarones morados abundan entre las anémonas que crecen en las salientes y pendientes.

Pelican Point

Corriendo paralela a la playa, está la pared oceánica que abarca de cinco a treinta y dos metros con terrazas de coral sumamente pobladas de meros, pargos, cojinúas carbonera y rayas obispo estrellado. Corales cuerno de venado y alce, corales estrella y cerebro florecen al lado de diversos abanicos de mar y esponjas.

Phoenix Reef

Escondido sitio de buceo, forestado de corales cuerno de venado, alce, estrella, cerebro y multitud

Yellow Boring Sponge
Esponja Perforadora Amarilla, AM

Tiger Grouper
Mero, M.S. AKR

de suaves corales. Las rocas, ricas en algas, crean un ambiente perfecto para los erizos de mar y los crustáceos. Poliquetos de fuego, camarones coral, anémonas, poliquetos tubícolas y langostas tienen su morada a lo largo de un círculo de coral de tres metros. Por la noche, los pulpos y timburiles se escabullen entre los corales.

Plantation Beach

Suave declive de roca metamórfica con áreas de vegetación marina y habitado por caracoles, camarones y una diversidad de peces jóvenes. Damiselas, píntanos, peces ángel, limpiadores criollo y peces mariposa cuatro ojos exploran las salientes mientras que las estrellas de mar, galletas de mar, erizos y las rayas se mantienen en los lugares menos profundos. Los poliquetos tubícolas, anguilas y langostas buscan la protección de los pequeños corales. De vez en cuando, los buzos encuentran pulpos comiendo caracoles.

The Wall

Larga pared oceánica de cinco a treinta y nueve metros, marcada por profundos desfiladeros y cañones; la corriente marina que se desplaza de este a oeste puede llegar a alcanzar la velocidad de un nudo. Envuelto de corales estrella, cerebro, lechuga, cuerno de venado y alce, el arrecife es el favorito de peces ángel, vaquetas de dos colores, cojinúas negra, barberos, peces lora y tortugas de mar. Los abanicos y los delicados corales color café, bailan en la corriente. Los buzos, muy obser-vadores, descubren vida marina elusiva, tales como caballitos de mar, nudibranquios y tunicados morados. Durante las expediciones nocturnas, las esponjas estrella florecen, los camarones rojos y los grandes cangrejos araña espían desde el coral y los pulpos hacen sus raras y fugitivas apariciones.

Divers and Pillar Coral
Buzos y Coral, JCM

...B.C.D.,weights,release, air, fins... beauty...

...chaleco, pesas, válvulas, aire, aletas... belleza...

Bluebell Tunicates
Tunicados campanilla azul, ACR

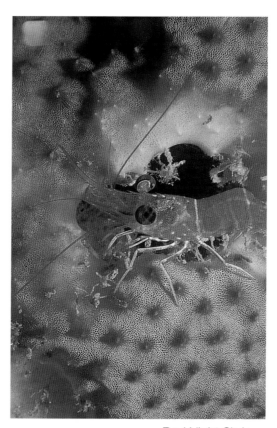

Red Night Shrimp
Camarón Nocturno, RC

Purple Tube Sponge
Esponja, JCM

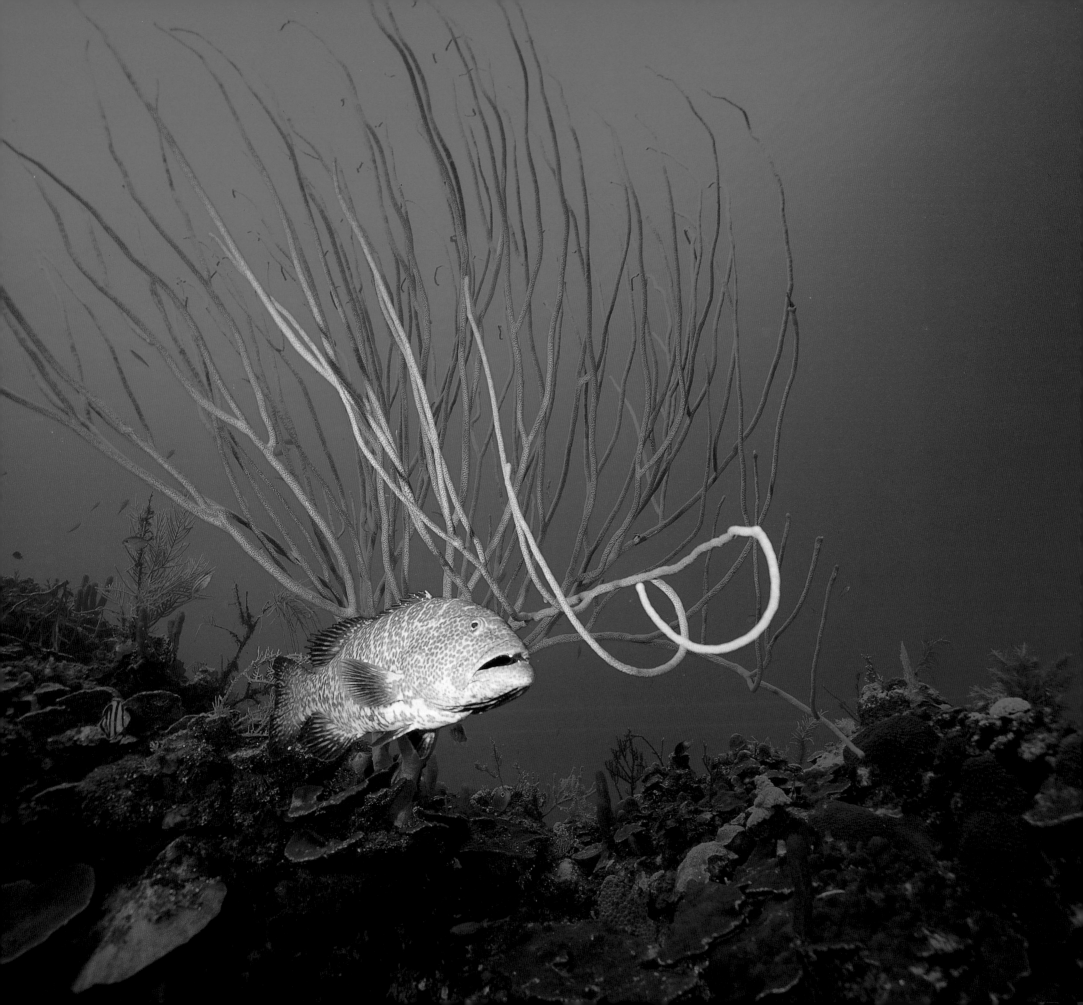

Red Banded Hermit Crab
Cangrejo Ermitaño, AM

Deep Water Sea Fan
Abanico de Mar, AM

Sea Rod Gorgonian
"Gorgonian", AM

Sailfin Blennies
Sapitos Dragón, RC

Hawksbill Turtle
Tortuga Carey, RC

Caribbean Reef Octopus
Pulpo, JCM

Banded Butterfly Fish
Pez Mariposa Rayado, FM

Banded Coral Shrimp
Camarón de Coral, EB

Strawberry Anemone
Anemona, CR

Azure Vase Sponge with Brittle Star
Esponja Azul con Estrella de Mar, FM

Staghorn Coral
Coral Cuerno de Venado, FM

Reef Shark
Tiburón Cabeza Dura, AKR

Magnificent Urchin
Erizo de Mar, FM

Giant Basket Star
Estrella de Mar, JCM

Green Moray Eel
Morena Verde, RC

Acknowledgements
Reconocimientos

We would like to thank the following people who generously shared their time, knowledge, and enthusiasm that greatly supported the production of this book:

Queremos agradecer a las siguientes personas que generosamente nos dedicaron su tiempo, conocimiento y entusiasmo, apoyos tan valiosos en la producción de este libro:

Alton Cooper
Amanda Everett
Amy Segal
Bonnie Jackson
Coralia de Meardi
Dale Jackson
David K. Evans
Epaminóndas Marinakys
Eric Anderson
Félix Antonio Matias
Frank Gonzalez Jr.
Giovanni Silvestri
Issa María Rosales Giralt
José Herrero (Fundación Cuero y Salado)
Julio Galindo
Leo Vela
Marielos Delgado
Melba Jones
René Laffite (Fundación Cuero y Salado)
Ron Worley
Samir Galindo
Tino Monterrosa
Tomás Regalado Papini

Our special thanks to Avis Rent-A-Car for providing the land transportation used during the production of this book.

Nuestro especial agradecimiento a Avis Rent-A-Car quien nos proporcionó los vehículos necesarios para la producción de este libro.

Jacqueline Laffite Bloch, a Honduran journalist, has lived in El Salvador for 23 years. Mother of two and wife of a well-known Salvadoran businessman, she also directs an annual publication called the Sol y Luna Central America Guide, dedicated to promoting tourism in the Mesoamerican region. She has also published another photographic coffee table book entitled Salvadoran Settings, which used the concept of the table as a guiding thread to showcase the different facets of Salvadoran culture. All of the profits generated by the sales of Salvadoran Settings support the educational programs of the Tin Marin Childrens' Museum in El Salvador.

Jacqueline Laffite Bloch es una periodista hondureña que vive en El Salvador desde hace veintitres años. Tiene dos hijos y es esposa de un conocido empresario de El Salvador. Es directora de una publicación anual llamada Guía Centroamericana Sol y Luna dedicada a promover el turismo en la región mesoamericana. También ha publicado otro libro de fotografía titulado Mesas y Escenas de El Salvador que tomó el concepto de la mesa como el hilo conductor para mostrar los diferentes aspectos de la cultura salvadoreña. El producto de las ventas de ese libro son destinados a promover programas educativos del Tin Marín Museo de los Niños de El Salvador.

Alexandra Lytton Regalado is an internationally published poet and travel writer with a Masters in Fine Arts in Creative Writing. She has a decade of publishing experience and is author and editor of another coffee table book entitled Salvadoran Settings.

Alexandra Lytton Regalado es una poetisa y escritora con diversas publicaciones a nivel internacional. Tiene un Postgrado en Bellas Artes con especialización en Redacción Creativa. Cuenta con diez años de experiencia como editora. Es editora y autora del libro Mesas y Escenas de El Salvador.

Federico Trujillo D. is an advertising photographer with 26 years of experience. He has dedicated 8 of those years to producing photographs for 11 books that showcase the natural and cultural treasures of Central America.

Federico Trujillo D. es fotógrafo publicitario, con veintiseis años de ejercer la profesión, de los cuales, en los últimos ocho, ha producido fotografías para la elaboración de once libros de temas relacionados con la riqueza natural y cultural de Centroamérica.

Andrea Vallerani, Italian, has lived and worked in Central America since 1996. He started as a fashion photographer in Milan in the 1980's and later became a photojournalist. In 1993, ELECTA published his first photography book, Compagni di Viaggio Silenziosi and in 1996, MONDADORI published I Mattini della Somiglianza in honor of the 50th Anniversary of UNICEF. Writer Guido Ceronetti has written the prologue for both these publications. Vallerani has had expositions in Torino, Milano, Venice, and other Italian cities. Vallerani also founded the CeroCinco Association in Italy which develops solidarity programs for Salvadoran children and constructed a Children's Development Center in El Salvador. In 2001, Doctors Without Borders published Vallerani's Somalia oltre la Guerra.

Andrea Vallerani, italiano, vive y trabaja desde 1996 en Centro America. Comienza en los años 80 como fotógrafo de moda en Milano y luego se dedica al fotoreportaje. En 1993, la casa editorial ELECTA publica su primer libro Compagni di Viaggio Silenziosi y expone en Torino, Milano y Venecia y otras ciudades italianas; el escritor Guido Ceronetti firma el prólogo. En 1996, en el 50 aniversario de la UNICEF, la casa editorial MONDADORI publica I Mattini della Somiglianza y expone en Milano. Guido Ceronetti lo acompaña en esta nueva publicacion. Luego, funda en Italia la Asociación CeroCinco para realizar proyectos de solidaridad para los niños y en El Salvador crea un Centro de Desarrollo Infantil. En el 2001, la Asociación International Médicos Sin Fronteras, publica su tercer libro fotográfico: Somalia, oltre la Guerra.

Cesar Rodas is a professional photographer and paramedic who assists divers in the decompression chamber of Anthony's Key Resort.

César Rodas es un fotógrafo profesional y paramédico que asiste a los buzos en la cámara de descompresión en Anthony's Key Resort.

Felix Antonio Matias is a professional underwater photographer and currently manages the photo shop at Anthony's Key Resort.

Félix Antonio Matías es un profesional en fotografía subacuática y actualmente administra la tienda de fotografía en Anthony's Key Resort.

Cre8tiv Juice Group, Creative and conceptual graphic development. Well known for creating powerful and targeted communication tools in partnership with both international and U. S, based clients. For information and contacts information please visit www.cre8tivjuice.com

Cre8tiv Juice Group, empresa líder en el desarollo conceptual de diseños con creatividad gráfica. Reconocidos por crear herramientas de comunicación de gran impacto, trabajando en estrecha colaboración con clientes locales e internacionales. Para mayor información favor visite el sitio: www.cre8tivjuice.com

Bibliography
Bibliografía

Davidson, William V., *Historical Geography of the Bay Islands: Anglo-Hispanic Conflict in the Western Caribbean*. Honduras: Southern University Press, 1999.

Garoutte, Cindy. *Diving Bay Islands*. New York: Aqua Quest Publications, Inc., 1995.

Gonzalez, Nancie. *Sojourners of the Caribbean: Ethnogenesis and Ethnohistory of the Garifuna*. Chicago: University of Illinois Press, 1988.

Neider, Charles. *Great Shipwrecks and Castaways: Authentic Accounts of Disasters at Sea*. New York: Dorset House Publishing Co., 1992.

972.831 5
L1631 Laffite Bloch Jacqueline
     Las islas de la bahía de Honduras = The bay islands of Honduras /
slv   Jacqueline Laffite Bloch, Alexandra Lytton Regalado, David Evans ;
     tr. Violeta Avila ; Antonio Gallina ; fot. Federico Trujillo ; Andrea
     Vallerani. --1a. ed. -- San Salvador, El Salvador : [s.n.], 2002.
      260 p. : il.; ; 25x32 cm.

     Texto inglés español.

     ISBN 99923-77-X
972.831 5
L1631   Laffite Bloch, Jacqueline
     Las islas de la bahía de Honduras ... 2002

     1. Islas-Honduras. 2. Bahía de Honduras. I. Lytton Regalado,
    Alexandra, coaut. II. Evans, David, coaut. III. Título

Printed in Korea
Impreso en Corea